dtv

Für Renate Harpprecht, eine Jüdin, die das Grauen des Konzentrationslagers überlebt hatte, war der Tag der Befreiung durch britische Truppen wie ein zweiter Geburtstag; der 16jährige Hitlerjunge Günther van Norden hingegen schrieb Anfang Mai 1945 in sein Tagebuch: »Die nationalsozialistische Idee, diese erhebende Schöpfung unseres Führers, liegt im Staub.« In jenen Tagen des Kriegsendes hatten die Menschen je nach ihrer Situation die unterschiedlichsten Empfindungen – der als amerikanischer Soldat zurückkehrende Emigrant andere als die ausgebombte Kriegerwitwe oder die von der Gefahr der Verfolgung befreiten Widerstandskämpfer. Für die meisten ging es um die Bewältigung des schwierigen Alltags, viele verdrängten die nationalsozialistische Vergangenheit, manche begannen nach- und umzudenken, einige begriffen das ersehnte Ende der Diktatur als Chance für einen persönlichen und gesellschaftlichen Neuanfang. Peter Süß bietet mit den hier zusammengestellten Texten ein vielgestaltiges Bild jener dramatischen Zeit.

Peter Süß ist promovierter Historiker und lebt als freier Publizist in Berlin.

1945

Befreiung und Zusammenbruch

Erinnerungen aus sechs Jahrzehnten

Herausgegeben von Peter Süß

Deutscher Taschenbuch Verlag

Ein Projekt der Edition diá
www.editiondia.de

Originalausgabe
Februar 2005

www.dtv.de

Umschlagkonzept: Balk & Brumshagen
Umschlagfoto: © ullstein bild
Satz: Rainer Zenz, Berlin
Druck und Bindung: Druckerei C. H. Beck, Nördlingen
Gedruckt auf säurefreiem, chlorfrei gebleichtem Papier
Printed in Germany · ISBN 3-423-34170-X

Inhalt

Peter Süss

Der lange Schatten des Krieges

Am Ende des von Deutschland entfesselten Zweiten Weltkrieges zählte man annähernd 55 Millionen Tote: 20 Millionen Bürger der Sowjetunion, über 9 Millionen Deutsche, darunter 2 Millionen Vertriebene und mehr als 600 000 Opfer des Luftkrieges, 10 Millionen Chinesen, 6 Millionen Polen, 2 Millionen Japaner, eine halbe Million Jugoslawen, jeweils Hunderttausende in den Staaten der Alliierten – und rund 6 Millionen im KZ Ermordete.

400 Millionen Tonnen Trümmer bedeckten Deutschland, ganze Städte waren dem Erdboden gleichgemacht. In Schutt und Asche lagen historische Bauten ebenso wie Krankenhäuser, Schulen und Rathäuser; Altstädte und Neubauviertel ebenso wie Industriereviere. 20 000 Kilometer des Reichsbahnnetzes waren unbefahrbar; zerbombte Brücken und versenkte Schiffe machten die Flüsse unpassierbar – allein im Rhein lagen 1500 Schiffswracks auf Grund. Die Telefonleitungen waren tot fast überall, Straßen- und U-Bahnen fuhren nur vereinzelt und höchst unregelmäßig. Zugleich strömten seit Januar 1945 mehr als 14 Millionen Flüchtlinge und Vertriebene aus Ost- und Südosteuropa ins »Altreich«, während auf dem Gebiet der späteren drei Westzonen annähernd 3 Millionen Wohnungen, rund 40 Prozent, zerstört oder so schwer beschädigt waren, daß ein Wiederaufbau nicht in Frage kam: Unmittelbar nach dem Krieg lebten die Deutschen in Ruinen und Stollen, Kellern und Baracken, Bunkern und Wellblechhütten. Sie wühlten im Abfall, um nicht Hungers zu sterben, stahlen Kohlen und schlugen Wälder kahl, um nicht zu erfrieren, klaubten Zigarettenstummel von der Straße, um auf dem Schwarzmarkt etwas zum Tauschen zu haben. Für die meisten ein totaler »Zusammenbruch«.

Nur jene, die im KZ überlebt oder aktiv Widerstand geleistet hatten, die aus rassischen oder politischen Gründen verfolgt worden waren, sprachen von einem »Tag der Befreiung«. Sie hatten den Untergang Hitler-Deutschlands herbeigesehnt, doch bot das Glücksgefühl der Drangsalierten kaum Anknüpfungspunkte für die »Volksgemeinschaftsdeutschen«, die sich in ihrer großen Mehrzahl eben noch in Übereinstimmung mit ihrem »Führer« befunden hatten. Es hieße einen ahistorischen Gerichtstag halten über die Kriegsgeneration, wollte man ihr dies zum Vorwurf machen. Wie sollten jene »Befreiung« empfinden, die in Trümmern lebten, die Familienangehörige verloren hatten, die nicht wußten, wie es weitergehen sollte?

Doch wollten die Leute auch zehn Jahre später, als die bundesrepublikanische Gesellschaft bereits das »Wirtschaftswunder« in Gang gesetzt hatte, nicht an die »Schmach der Niederlage« erinnert werden. Eine Ansicht, die die gewählte Führung durchaus teilte: Den 8. Mai 1955 verbrachte Konrad Adenauer bei einem Staatsbesuch in Frankreich. Als guter Katholik versäumte er an jenem Sonntag die Messe nicht, doch während nachmittags in Paris die Feierlichkeiten zur deutschen Kapitulation begangen wurden, begab sich der Kanzler auf eine Landpartie.

Daß es am 8. Mai für einen »guten Deutschen« nichts zu feiern gibt, war auch am 20. Jahrestag des Kriegsendes vorherrschende Meinung in der Bundesrepublik. Und noch im Mai 1975 machte sich jeder der Ost-Berliner Satrapie verdächtig, der von einem »Tag der Befreiung« sprach.

Erst mit der Gedenkrede des damaligen Bundespräsidenten Richard von Weizsäcker am 8. Mai 1985 vermochte sich das Gefühl, 1945 von einem menschenverachtenden Regime befreit worden zu sein, in der Bundesrepublik gegen das Trauma der Niederlage und des Zusammenbruchs durchzusetzen. Und 1995 überwog auch bei den über Sechzigjährigen, die Krieg und unmittelbare Nachkriegszeit noch lebhaft erinnerten als Zeit der Verzweiflung, Trauer und Entbehrungen, die positive Wahrnehmung des 8. Mai 1945.

Im anderen Teil Deutschlands lagen die Dinge naturgemäß anders. Hier hatte der seit 1949 staatlich verordnete Antifaschismus, wohl *die* Gründungslegende der DDR, schon früh die Befreiungsvokabel ausgegeben, doch haftete dem mit Aplomb vorgebrachten Anspruch, der einen ein Stück weit auf die Seite der siegreichen Roten Armee brachte, stets etwas Gekünsteltes, wenn nicht Ausgedachtes an und blieb in der Bevölkerung ohne Echo.

Sechzig Jahre nach den Verheerungen stirbt die Generation, für die sie Teil der eigenen Biographie waren, allmählich aus; für die heute Jungen ist die Epoche in weite Ferne gerückt. Die NS-Zeit entschwindet aus der Zeitgeschichte. Schon die Flutwelle an Veröffentlichungen zum 50. Jahrestag rührte zu einem Gutteil aus der Annahme, es werde wohl das letzte Mal sein, daß des Krieges massenmedial gedacht werde. Es hat nicht an Stimmen gefehlt, die dies unverhohlen begrüßten. Die Konzentration auf die nationalsozialistischen Greuel und Verbrechen galt ihnen als Ursache dafür, daß alle anderen Bilder deutscher Vergangenheit längst hinter einem unüberbrückbaren Horizont verschwunden waren und folglich, so die Ansicht, die deutsche Geschichte unzulässigerweise auf jene fatalen zwölf Jahre reduziert werde.

Doch in merkwürdigem Gegensatz zum immer größer werdenden Abstand steht die Zähigkeit, mit der sich Nationalsozialismus, Krieg und Verderben in der Erinnerung behaupten. Und nicht enden wollen die Debatten, die wahlweise polemisch oder erbittert, immer aber leidenschaftlich geführt werden: Walser-Bubis-Debatte, Debatte um die Wehrmachtsausstellung, Goldhagen-Debatte, Debatte um Zwangsarbeiterentschädigung, um das Holocaustmahnmal, Antisemitismusdebatten von Möllemann bis Hohmann, um Bombenkrieg und Vertreibungen.

Die Chiffre 1945 mit ihren vielen Verästelungen ist mit Macht zurückgekehrt und ein Ende nicht abzusehen. Freilich hat bei der Diskussion um Krieg und NS-Zeit in letzter Zeit eine gewisse Akzentverschiebung stattgefunden: Thematisierte Walser noch den Überdruß an der Aufarbeitung deutscher Schuld, ließ Daniel J. Goldhagen nicht locker und schrieb eine Generalabrechnung über die »willigen Vollstrecker«, so haben die Debatten der vergangenen Jahre vor allem die deutsche Opferperspektive in den Mittelpunkt gerückt, und nicht von ungefähr geistert seit einiger Zeit das Stichwort von der »deutschen Selbstversöhnung« durch die Feuilletons. Endlich, so heißt es da, werde auch der Opfer auf deutscher Seite gedacht und nicht mehr »nur« jener, die von Deutschen ermordet wurden.

Alles begann, gebrochen noch, mit Günter Grass' Novelle ›Im Krebsgang‹, die den Untergang der »Wilhelm Gustloff« ins kollektive Gedächtnis zurückrief und damit die augenfälligste Katastrophe deutschen Flüchtlingselends ab 1945. Weitere Bücher, Nachrichtenmagazingeschichten und Fernsehsendungen über Bombenkrieg, Vertreibungen, Kriegsgefangenschaft und Massenvergewaltigungen folgten. Deutsche Opfer, wohin man blickte.

Wer darin etwas Neues, vielleicht sogar ein Tabu erkennen wollte, das endlich gebrochen werden mußte, getreu der Taktik Ewiggestriger, scheinbare Tabus zu beklagen, um anschließend mit dem »Tabubruch« einen emanzipatorischen Akt gegen die »Auschwitz-Keule« zu feiern, die angeblich die Meinungsfreiheit in diesem Land beschneide, der sei auf die Beiträge Hannah Arendts, Erich Kästners, Ruth Andreas-Friedrichs, Hans Sahls, Hildegard Hamm-Brüchers und Jürgen Kuczynskis in diesem Band verwiesen: Zusammengenommen belegen sie, wie sehr die Opferhaltung der Deutschen nach 1945 dominierte, jene Aufrechnung der Leiden, die man anderen, so wurde verschämt zugegeben, zwar zugefügt habe, die einem aber vielfach selbst widerfahren seien. Man kann darin den Abwehrkomplex eines Volkes am Werke sehen, das sich aufgrund der Ungeheuerlichkeit des Geschehenen – der Massenverbrechen der »Einsatzkommandos« und der Wehrmacht im Osten, der fabrikmäßigen Ermordung der Juden – nicht anders zu helfen wußte als durch den Hinweis auf die »schlimmen Zeiten«, die man selbst erlebt habe. Daß man damit, zu Ende gedacht, auf eine gewundene Art das eigene schlechte Gewissen und die Verstrickung in die Verbrechen zugab, gibt immerhin Anlaß, dem trüben Befund einige versöhnliche Züge abzugewinnen.

Auch in einem weiteren Sinne ist das mitunter mit kaum unterdrücktem Triumphgefühl verkündete »Endlich wird auch der deutschen Opfer gedacht« recht abwegig und nur mit der Vergeßlichkeit vieler Kulturkritiker zu erklären. Bekanntlich schützt nur Lektüre vor Neuentdeckung: So gab das Bundesministerium für Vertriebene und Flüchtlinge eine vielbändige wissenschaftliche ›Dokumentation der Vertreibung der Deutschen aus Ost-Mitteleuropa‹ in Auftrag, die zwischen 1954 und 1961 erschien. Und wer nur einen Bruchteil der apologetischen Memoirenliteratur seit den fünfziger Jahren zur Hand nimmt, wird in Rechtfertigungs-, Leidens- und Opfergeschichten der Deutschen ersticken.

Im übrigen haben derlei Versuche, »die Verbrechen der anderen Seite« zur Sprache zu bringen, nie ihren Entlastungscharakter verbergen und die Erkenntnis nicht auslöschen können, daß Auschwitz nach wie vor Metapher ist für das Böseste, das je von Menschen ersonnen und in die Tat umgesetzt worden ist. Nicht nur ist diese Erkenntnis zu einem Grundkonsens der Republik geronnen, sie hat sich internationalisiert. Die Gründe dafür sind schnell ausgemacht: Der Historiker Saul Friedländer hat darauf hingewiesen, daß für die meisten Menschen der Grad des Bösen mit dem Ausmaß des Verbrechens wachse, mit der Natur des verbrecherischen Vorsatzes sowie der Abwesenheit von Schuldgefühlen. Niemand, der nicht ganz schwachsinnig ist, wird leugnen, daß der Nationalsozialismus in bezug auf jedes dieser Merkmale eine neue Dimension erreichte. In die gleiche Richtung weist, daß offenbar alle Menschen eine Konkretisierung des abstrakten absolut Bösen benötigen und man weltweit dabei zunächst und vor allem an Hitler denkt.

So eindeutig der Befund der Singularität von Auschwitz ist, so irritierend mutet nicht nur das Disparate der Debatten der vergangenen Jahre an, sondern auch die Reaktion der Gesellschaft: Der geschichtsinteressierte Bundesbürger erscheint als ein Zeitgenosse, der eben noch Daniel J. Goldhagen bejubelt, dann Norman G. Finkelstein, der die »Holocaust-Industrie« beklagt, um dann umstandslos in die Wehrmachtsausstellung zu pilgern und am nächsten Tag die deutschen Bombenopfer zu betrauern und die Frage nach »alliierten Kriegsverbrechen« aufzuwerfen.

Man könnte diese Paradoxien mit dem Hinweis auf eine Spaltung der Generationen abtun oder mit einer anhaltenden Verwirrung in den Köpfen erklären. Doch bezeugen die widersprüchlichen Debatten und der lebhafte Widerhall, den sie hervorgerufen haben, vor allem eine erfreuliche Pluralität und Unabhängigkeit der Diskussionen in der Bundesrepublik, und sie trugen dazu bei, Vielfarbigkeit und Tiefenschärfe zu mehren. Es ist nicht zu beklagen, daß das Pendel mal in die eine, mal in die andere Richtung ausschlägt – Geschichtsinterpretation ist immer auch Revision, und jede Generation von Forschern hat andere Erkenntnisinteressen und schafft eigene Deutungen. Bei allen neuen historischen Zugriffen, veränderten Fragestellungen und Ansätzen – die NS-Zeit, Krieg und mit ihm Verbrechen und Verderben, die zuletzt auch das deutsche Volk erreichten, bleiben eine »Vergangenheit, die nicht vergehen will« und auch nicht wird. Und das ist nicht das Schlechteste.

Zu besorgen ist freilich ein Amoklauf der Form; schon Goldhagens grelles Buch, das keine Zwischentöne kennt, ist von der deutschen Historikerzunft beinahe einhellig zurückgewiesen worden, doch haftet, bei aller Kritik, vor allem das Wort des Berliner Historikers und NS-Spezialisten Wolfgang Wippermann im Gedächtnis, daß Goldhagen, wenn er vielleicht auch nicht immer die richtigen Antworten gefunden, so doch »endlich wieder die richtigen Fragen gestellt« habe.

Ähnliches gilt für Jörg Friedrich, der mit seinem Buch ›Der Brand. Deutschland im Bombenkrieg‹ einen spektakulären Erfolg landete, obwohl er die Einzigartigkeit von Auschwitz auf sublime Art und Weise außer Kraft setzte: »Das Feuer«, so schreibt Friedrich, »hat auf seinem Gipfel zwei unerträgliche Räume hervorgebracht, den lodernden Außenraum und den gaserfüllten Innenraum. In Kassel und Hamburg wurden siebzig bis achtzig Prozent der Brandopfer im Keller vergast.« Unausgesprochen schieben sich vor das Bild der Leichenberge in den KZs die aufgebahrten deutschen Gas- und Brandopfer, die in bestechender Fotoqualität den Friedrichschen Nachfolgeband ›Brandstätten‹ bevölkern.

Die großen Vereinfacher und Emotionalisierer bei der Darstellung von Geschichte sind allerdings unzweifelhaft Film und Fernsehen. Anders als noch vor wenigen Jahrzehnten sind wir von Bildern umstellt, und sie haben seit einiger Zeit verstärkt den Krieg zum dankbaren Objekt erklärt. Dies läßt sich nicht umkehren, im Gegenteil: In dem Maße, wie die authentische Erinnerung an NS-Herrschaft und Krieg abreißt, weil die Generation der Zeitgenossen ausstirbt, fällt der fiktionalen Darstellung, und das ist die Domäne der bewegten Bilder, immer mehr Bedeutung zu.

Damit ist nicht unbedingt jene telegene Mischung aus Archivmaterial, Zeitzeugeninterviews, nachgestellten Szenen bei zahlreichen Überblendungen und satt-gefühligem Sound gemeint, die dem Leiter der ZDF-Redaktion Zeitgeschichte, Guido Knopp, den Ruf eingetragen hat, ein »Geschichtspornograph« zu sein – so das Verdikt des Assistant Professors der State University of New York, Wulf Kasteiner.

Die professorale Fernsehschelte ist selten über den medienimmanenten Befund hinausgelangt, daß Bilder vordergründig und Hintergründe schlecht zu bebildern sind, und bei allen berechtigten Einwänden daran, daß Inszenierung als Dokumentation ausgegeben wird, beschleicht einen das Gefühl, die Dreschflegel würden vor allem deshalb geschwungen, weil man sich seines Alleinvertretungsanspruchs beraubt sieht. Doch verhält es sich eher umgekehrt: Die quotentaugliche Darstellung von Geschichte ist in einen weitgehend leeren Raum gestoßen, da die universitär eingebundene Historikerzunft längst kampflos das Feld geräumt, längst ihr Publikum vertrieben hat mit selbstverliebten Detailuntersuchungen und mit ihrer Neigung, sich schwer zugänglich zu machen. Wie sonst ist das Millionenpublikum zeitgeschichtlicher Sendungen im öffentlich-rechtlichen Fernsehen und der große Verkaufserfolg von Goldhagen, Friedrich oder auch Antony Beevor mit seinem Buch über das Ende Berlins 1945 zu erklären, die alle nicht zu den Hochschulmandarinen zählen?

An der übergroßen Angst vieler Historiker vor Gefühlen ist immerhin soviel richtig, daß bisweilen eine bedenken- und in mancherlei Hinsicht verantwortungslose Emotionalisierung der massenmedial aufbereiteten Geschichte zu fürchten steht, die Geschichtsunterhaltung am untauglichen Objekt vorführt. Und so schaut man mit gemischten Gefühlen auf jene Kino- und Fernsehgroßproduktionen, die sich beispielsweise fiktional Hitlers letzten Wochen aus der Perspektive des subalternen Personals der Kammerdiener und Sekretärinnen nähern. Zeugen, die auch von rechtsradikalen Publizisten wie David Irving gern in Anspruch genommen werden. Dergleichen auf Massenkonsum zielende Filme wie ›Der Untergang‹ stellen vor allem den Skandalcharakter des »Tieres aus der Tiefe« in Rechnung und verlassen sich des dramaturgischen Spannungsbogens wegen außerdem auf Hitler als leutseligen »Chef«, der, wenn Kriegs- und Mordgeschäfte es erlaubten, stets gewillt war, zusammen mit seinen Sekretärinnen ein Stückchen Kuchen zu verzehren oder ihnen Kunststückchen seiner Schäferhündin Blondi vorzuführen.

Doch ist zugleich nicht zu leugnen, daß erst Emotion Zugang schafft und, wenn es nicht allein beim Affektaufruhr bleibt, auch rationale Erkenntnis fördert. Es könnte, so formulierte es Heinrich Böll anläßlich der US-Fernsehserie ›Holocaust‹, die 1979 ein Beben der Betroffenheit in der Bundesrepublik auslöste, »der Fall eintreten, daß ›Emotion‹ und ›Aufklärung‹ nicht im Dauerstreit bleiben; Arroganz gegenüber Emotion ist nicht angebracht, schließlich ist nichts, aber auch gar nichts Verwerfliches daran, wenn da Zuschauer *bewegt* werden, wo doch Aufklärung nicht unbedingt *totale Unbewegtheit* bedeutet«.

Bewegung und Aufklärung im Böllschen Sinne heißt immer auch Einzelschicksal; Einzelschicksal, das berührt. Dies waren die wichtigsten Kriterien bei der Auswahl der 22 Texte für diesen Band; Relevanz des Erlebten, Vielschichtigkeit und genaue Beobachtungsgabe bei der Erzählung, Eindrücklichkeit ohne falsches Pathos, Emotion *und* Reflexion, Reichtum an Schattierungen weitere. Denn nur damit kann es gelingen, auch nachwachsende Generationen einzubinden in eine nationale Erinnerungsgemeinschaft. Niemand, der es nicht erlebt hat, kann sich komplett einfühlen in das Jahr 1945; doch besteht immerhin die Chance, eigene biographische Bezüge aus den nachstehenden Erinnerungen zu gewinnen. Etwa wenn Renate Harpprecht ihr Gefühl beschreibt, 1945 ein neues Leben geschenkt bekommen zu haben; oder das Gefühl, daß das eigentliche Leben überhaupt erst anfängt, nachdem man zuvor bestenfalls vegetierte, wovon Eva Ebner spricht. Auch der abseitige Humor eines Werner Finck, der noch dem tödlichen Ernst seine Späße abrang, bietet reichhaltigen Zugang für die Nachgeborenen.

Die frühesten Texte, die hier versammelt sind, entstammen der unmittelbaren Nachkriegszeit, während einige Erinnerungen erst im vergangenen Jahr anläßlich dieser Anthologie geschrieben worden sind. Eine Auswahl an Erinnerungen und Tagebüchern aus den letzten sechzig Jahren also. Von Menschen, die lange tot sind, von Menschen, die noch leben. Einige von ihnen sind berühmt, andere zumindest bekannt, von einigen werden die meisten noch nie etwas gehört haben, andere hatten zu ihrer Zeit einen klangvollen Namen, sind aber inzwischen in Vergessenheit geraten.

Natürlich ist die Auswahl, bei allem Querschnittscharakter, sehr subjektiv, was immer auch lückenhaft heißt, und sie muß es sein angesichts der Vielzahl von Beiträgen, die zu diesem Thema publiziert wurden, und angesichts der kaum mehr zu überblickenden Menge an Memoirenliteratur, die seit Kriegsende erschienen ist. Gleichwohl bleibt bemerkenswert, wie sehr in fast allen Beiträgen die Begriffe des Zusammenbruchs bzw. der Befreiung explizit genannt werden, durchschimmern oder zumindest in den Reaktionen der Zeitgenossen gespiegelt werden.

Zugleich wird der Prägecharakter des Jahres 1945 in vielen Beiträgen deutlich, etwa bei dem DDR-Physiker Max Steenbeck, der Sozialist wurde aufgrund seiner Erfahrungen, oder des emeritierten Geschichtsprofessors Günther van Norden, dessen Glaube an den Führer eine tiefgreifende Erschütterung erfuhr, als er, ein 16jähriger Hitlerjunge, die Befreiung des KZs Bergen-Belsen erlebte.

Einige der Texte reichen ihrem Charakter nach über das Jahr 1945 hinaus oder, wie der Textauszug aus der Autobiographie Fritz Kortners, setzen überhaupt erst mit der Nachkriegszeit ein. Sie trotzdem in diesen Band aufzunehmen, dahinter stand die Überlegung, daß das Jahr 1945 nicht nur einen katastrophalen Endpunkt bedeutete, Ende des NS-Schreckens, Ende im Grunde des Deutschen Reiches von 1871. Es war zugleich ein Neubeginn, am sichtbarsten wohl hervortretend in der zwar falschen, nichtsdestotrotz durchschlagenden Vokabel von der »Stunde Null«, die sich bis 1948/49 dehnte.

Aus Geschichte lernen ist eine ebenso populäre wie alberne Forderung. Die Erinnerung an Gewesenes kann uns selten klug machen für die politischen und sozialen Probleme des Tages, bietet kaum mehr als Handreichungen gegen die Gedankenlosigkeit und Naivität des Augenblicks, indem sie uns zeigt, wie die Altvorderen gelebt und gedacht, welche Entscheidungen sie aus welchen Gründen getroffen haben. Zugleich bleibt Geschichte jene Humanwissenschaft, die uns, zumal in Zeiten des

Umbruchs, in denen die Entbehrungen der Zukunft größer anmuten als ihre Verheißungen, die Möglichkeit gibt, uns selbst zu vergewissern, woher wir kommen. Im besten Falle leisten die nachfolgenden Texte dazu einen Beitrag. Die Richtung, in die wir gehen, bestimmen wir selber.

Ruth Andreas-Friedrich

Schauplatz Berlin

Geboren am 23. September 1901 in Berlin, beginnt Ruth Andreas-Friedrich nach einem Staatsexamen in Wohlfahrtspflege und einer Buchhändlerlehre in den zwanziger Jahren, journalistisch zu arbeiten. Sie bespricht Bücher und schreibt Feuilletons für Tageszeitungen. Später veröffentlicht sie in zahlreichen Illustrierten und Frauenzeitschriften.

Seit 1938 führt sie Tagebuch; weniger aus literarischem Ehrgeiz, sondern vielmehr um nach dem Ende der Nazidiktatur zu zeigen, daß nicht alle Deutschen Nazis gewesen sind. Im Vorwort ihres 1947 erstmals erschienenen Tagebuches ›Der Schattenmann‹ schreibt sie: »Tag für Tag schrieb ich auf, was ich hörte, sah, erlebte. Verschlüsselt in einer Art von Geheimschrift, mit Decknamen für alle, die ich nannte.«

Schon ihr erster Tagebucheintrag spiegelt die verzweifelte Situation jener wider, die dem Volksgemeinschaftsrausch nicht verfallen und mit Hitlers aggressiver, zum Krieg drängender Politik nicht einverstanden sind. Während der Sudetenkrise im Herbst 1938, als es kurzzeitig so scheint, als werde in wenigen Tagen Krieg sein, schreibt sie anläßlich einer Truppenparade: »Wir haben ›Nein‹ gesagt – Gott, was rühme ich mich! – ›Nein‹ gedacht. Wir meinen Nein. Und wir wollen nicht. Aber was bedeutet unser Wollen? Was bedeutet es schon im Naziregime, wenn zweihundert Menschen so tun, als ob sie eine Meinung äußern! Und dabei doch nichts anderes zuwege bringen als den kläglichen Mut, Herrn Hitler auf seinem Balkon zu übersehen!«

In einer Situation, in der Widerstand Verfolgung nach sich zieht und, bei Entdeckung, Verhaftung, KZ und womöglich Tod bedeutet, schließt sich Ruth Andreas-Friedrich der Gruppe »Onkel Emil« an. Deren Mitglieder helfen vor allem Juden und »Halbjuden« mit falschen Papieren, mit Nahrung und Unterkunft, den Krieg zu überleben. Die Motive sind weniger politischer Natur als vielmehr, wie Ruth Andreas-Friedrich es ausdrückt, »der

Menschlichkeit zu dienen«. Bis zum Jahr 1948 führt sie ihr Tagebuch. Auch in diesen Aufzeichnungen, die unter dem Titel ›Schauplatz Berlin‹ veröffentlicht werden, erweist sie sich als scharfsinnige Beobachterin des Alltags nach dem Kriegsende.

Nach ihrem Tod am 17. September 1977 schreibt Alfred Frankenstein in den ›Israel Nachrichten‹ über Ruth Andreas-Friedrich: »Sie ist eine jener gerechten Deutschen, die den guten Namen des Volkes in seiner schlimmsten Zeit gerettet haben. Ihr Andenken sei gesegnet.«

Dienstag, 8. Mai 1945

Von Tag zu Tag wird unsere Stimmung schlechter. Wir gehen umher, als hätten wir etwas verloren. Andrik hat sich ins Bett verkrochen. Frank packt den ganzen Tag seine Koffer um. Heike und Fabian streiten sich, und Dagmar ist überhaupt nicht zu sehen. Was geht nur mit uns vor? Der Start ist frei. Warum also starten wir nicht? »Ich glaube, uns fehlt das Ziel«, sagt Jo. »Aufräumen allein ist noch keine Mission.« Er trifft den Nagel auf den Kopf. Wir wissen alle nicht recht, wie es weitergehen soll. Der Kampf gegen die Nazis ist aus. Niemand bedarf mehr unserer Betreuung. Die Aufgabe haben wir verloren und eine neue noch nicht gefunden.

Jo und Frank haben aus trophäierten Radteilen zwei Fahrräder gebaut. »Radeln wir zur Kommandantur«, schlägt Andrik vor. »Mal sehen, was dort los ist.« Wir radeln nicht lange. An der nächsten Ecke winken drei russische Soldaten. Springen uns quer über den Weg, als wir Miene machen, vorüberzufahren. »Maschina … Maschina«, sagen sie und lockern ihre Pistolen. Ein kurzes Hin und Her, dann wandern wir zu Fuß weiter.

Auf der Kommandantur herrscht Ferienstimmung. Nur ein schläfriger Posten räkelt sich vor der Tür. »Kommandante?« Er schüttelt den Kopf. Heute sei Feiertag. Seit zwölf Uhr mittags. Wegen Waffenstillstand. – Waffenstillstand! Die Nachricht ist uns den Radverlust wert. Plötzlich überkommt uns der ganze Jubel des Befreitseins. Frei von Bomben! Frei von Verdunkelung! Frei von Gestapo und frei von den Nazis! Wie auf Flügeln eilen wir nach Hause. Am Abend feiern wir. Feiern mit allem, was wir besitzen.

Mittwoch, 9. Mai 1945

Die Welt tobt im Siegestaumel. Die Berliner grübeln, wo sie etwas zu essen finden. Geschäfte gibt es noch nicht. Sie sind entweder geschlossen oder ausgeplündert. Nicht wir allein haben während der Kampftage das Siebente Gebot vergessen.

Am Nachmittag wird Andrik herausgerufen. Zwei Russen seien da und wollten ihn sprechen. Es sind unsere »Plünderer« vom Sonntag. »Pashaluista«, sagen sie. Bitte schön! – und schieben zwei Fahrräder durch die Tür. Beinahe neu, mit blitzenden Nickelteilen. Sie lachen übers ganze Gesicht. »Pashaluista«, sagen sie und verschwinden wieder. »Sonderbares Volk«, meint Frank kopfschüttelnd. »Liebenswertes Volk«, lächelt Andrik gerührt. Wir wollen uns nicht den Kopf darüber zerbrechen, wer jetzt, statt unser, zu Fuß durch die Straße geht. Diesmal sind wir die Gewinner.

Samstag, 12. Mai 1945

»Ich meine, wir sollten mit der Arbeit beginnen«, sagt Andrik beim Frühstück. »Es wird Zeit, daß wir uns nützlicheren Dingen zuwenden als Fenster vernageln und Toiletten säubern. Ich jedenfalls gedenke in Kürze mein erstes Konzert zu geben.« Wir reißen Mund und Nase auf. »Konzert? Wo denn? Mit wem denn?« – »Das wird sich finden.« – Plötzlich erinnern wir uns daran, daß es für jeden von uns ein bürgerliches Leben gibt, zurückgelassen hinter Bomben und Kriegsgefahr. Der Ausnahmezustand hat aufgehört. Wir sind nicht mehr im Hauptberuf Schicksalsgenossen der »Clique«, sondern Dirigent und Schriftsteller, Arzt und Schauspielerin, Privatsekretärin und Redakteur. Zum erstenmal seit vielen Wochen tauschen die Mädchen Kopftuch und Trainingshose gegen ein bürgerliches Gewand, binden sich Frank, Andrik und Jo für ihren Ausgang eine Krawatte um. »Also dann bis Abend«, verabschieden wir uns, ehe wir in verschiedene Richtungen auseinandergehen. Frank faßt mich am Arm. »Ich glaube, wir haben denselben Weg.« Sein altes Krankenhaus und mein ehemaliger Verlag liegen im gleichen Stadtviertel. Gemeinsam wandern wir stadteinwärts. Es ist ein heißer Tag. Die letzten sechs Kampftage haben Berlin schlimmer zugerichtet als zehn schwere Bombenangriffe. Nur vereinzelt trifft man auf ein heiles Haus. Hauptstraße, Koesterufer, Hafenplatz. Mit müden Gesichtern stochern die Menschen zwischen den Trümmern, zerren hier eine zerbeulte »Trophäe« ans Licht, dort einen verkohlten Balken. Berlin holzt die Ruinen ab, um seine spärlichen Mittagessen zu kochen. Dort ist die Philharmonie. Oder vielmehr: Da war sie einmal. Wo einst Bruno Walter musizierte, liegt zwischen Schutt und Gemäuer ein toter Schimmel. Aufgedunsen der Leib, mit schwarzen, versteinerten Augen. Grausiges Stilleben unter zerbrochenen Arkaden. Die Bernburgerstraße ist ein Steinhaufen.

»Nicht dort herum«, warnen uns zwei Männer. »Dort holt man jeden zum Trümmerschippen.« – »Vielen Dank!« Wir machen kehrt. – Es gibt noch mehr solche »Arbeitsfallen« in der Stadt. Auf Umwegen kommen wir zum Tiergarten. Ich blicke auf die zerfetzten Bäume. Geknickt, zerborsten, bis zur Unkenntlichkeit verstümmelt.

»Du«, sage ich zu Frank. »Das ist noch schlimmer als Ruinen.«

Dicht neben einem Reiterdenkmal liegt ein kleiner Hügel. Hastig aufgeworfen, noch hastiger vollendet. Zwei Latten auf ihm. Mit Bindfaden zum Kreuz verschnürt.

Hier ruhen
ein Hauptmann
ein Leutnant
zwei Unteroffiziere und
sechs Grenadiere

steht mit Blaustift auf dem Querbalken. Regen hat die Schrift verwischt. Blau rinnt es von den Buchstaben. Da ein Grab, dort wieder eines. Wo sie starben, scharrte man sie ein.

Auf der Charlottenburger Chaussee stinkt es nach Kadavern. Doch als wir näher hinschauen, sind es nur Pferdegerippe. Das Fleisch haben die Umwohner den toten Tieren in Fetzen von den Knochen geschnitten und in die Kochtöpfe gesteckt. Nur die Gedärme hängen noch faulend zwischen den nackten Rippen.

Immer heißer glüht die Sonne. Immer mühsamer setzen wir einen Fuß vor den andern. Jetzt passieren wir das Brandenburger Tor. Auf dem

Pariser Platz wimmelt es von Leuten. Sie tragen aus dem Hotel Adlon die Möbel heraus. Vergoldete Spiegel, Plüschsessel und Matratzen. »Trophäisten«, lacht Frank verständnisvoll. »Die nehmen, was sie kriegen können.«

Auf Karren und Leiterwagen, in Bündeln und Säcken schleppen sie davon, was die Bomben übrigließen.

Da steht die Reichskanzlei. Öde starren die Fensterhöhlen auf den trümmerübersäten Wilhelmplatz. Nichts regt sich hinter den Mauern. Vor der Auffahrt wacht ein russischer Soldat. Sein Gewehr über den Knien, sitzt er, behaglich zurückgelehnt, in einem grünseidenen Polstersessel. Mitten im sogenannten Ehrenhof, ein Urbild des Friedens.

Am Spätnachmittag erreichen wir unsere ehemaligen Arbeitsstätten. Franks Krankenhaus steht noch. Mein Verlag ist »stark durchgepustet«. Während draußen der eine dem anderen die Daumen drückt, knüpft drinnen jeder von uns seine ersten bürgerlichen Fäden. Als wir die Hauptstraße zurückwandern, sprechen wir nicht mehr von Trümmern und Nazis, sondern von ärztlichen Aufgaben und der Möglichkeit einer neuen Jugendzeitschrift.

Dienstag, 15. Mai 1945

Kommen die Amerikaner oder kommen sie nicht? Teilt man Berlin oder überläßt man es den Russen? So viele Fragen, so viele Meinungen. Immer leidenschaftlicher drängt es uns nach Klarheit, fort aus dem Dunst der Gerüchte. Überall herrscht politischer Hochbetrieb. Wie Pilze schießen die »antifaschistischen« Gruppen aus der Erde. An jeder zweiten Straßenecke hat sich ein politischer Verein aufgetan. »Kampfverband freies Deutschland« ... »Seydlitzgruppe« ... »Antifa« ... »Bund der Hitlergegner«. Nicht alle Kampfgruppen gegen Hitler blicken auf eine lange Lebenszeit zurück. Bei manchen fing der Widerstand erst an, als Hitlers Widerstand aufhörte. Es stinkt ein bißchen um diese rückdatierten Märtyrer. »Wenn bloß nicht die Falschen ans Ruder kommen«, denken wir besorgt. Aber es geht ein Gerücht, daß alle politischen Organisationen von den Siegern verboten würden.

»Wer regiert uns eigentlich?« frage ich Andrik. Der zuckt die Achseln. »Wer gerade dran ist. Im übrigen – die Russen.« Vorläufig sieht es so aus, als ob in jeder Woche ein anderer »dran« wäre. In den Bürgermeistereien wird abgesetzt und berufen, berufen und abgesetzt. Jeder regiert nach seiner Fasson. Doch nicht jede Fasson ist ein Glück für die Regierten. Auf den Straßen sieht man zahlreiche Jünglinge. Jene saloppen Typen, denen man einst im Romanischen Café begegnete. Niemand kennt sie. Wie aus der Versenkung sind sie plötzlich aufgetaucht. Wer glaubt, etwas zu sagen zu haben, trägt eine schwarze Baskenmütze. Noch nie gab es so viele »Bérets« in der Stadt. Sie sind die phrygischen Mützen der ersten Berliner Nachkriegswochen.

Donnerstag, 17. Mai 1945

Die ersten Lebensmittelkarten sind ausgegeben. Brot, Fleisch, Fett und Tee. Salz, Nährmittel, Kartoffeln. Wir kommen uns vor wie Beschenkte. »Ob man darauf auch was kaufen kann?« fragt Heike ungläubig. »Probier's«, empfiehlt Frank.

Kaum ist sie verschwunden, klopft es an die Tür. Unser ehemaliger Luftschutzwart. »Ich wollte ...«, er stottert. »... ich dachte, ob Sie mir vielleicht ...«, wieder stottert er und sieht mich flehend an, »... bescheinigen«, – »daß Sie kein Nazi waren«, helfe ich ihm. Er nickt verlegen. »Ich habe Unterlagen ... es läßt sich beweisen ...«, beflissen kramt er in seinen Taschen. Mir liegt nicht viel an diesen Beweisen. Tagtäglich erleben wir das gleiche. Zu Dutzenden kommen sie, um sich ihr Nazitum fortattestieren zu lassen. Jeder benutzt einen anderen Vorwand. Jeder hat plötzlich einen Juden, dem er irgendwann einmal mindestens zwei Kilo Brot oder zehn Pfund Kartoffeln gegeben haben will. Jeder hat den ausländischen Sender gehört. Jeder hat Verfolgten geholfen. »Unter Lebensgefahr«, pflegt die Mehrzahl dieser posthumen Wohltäter stolzbescheiden hinzuzufügen.

Das Leumundszeugnis regiert die Stunde. Wer als Parteigenosse [Mitglied der NSDAP, abgekürzt Pg] kein Leumundszeugnis vorweisen kann, wird zur Zwangsarbeit geholt. In Scharen treten sie jeden Morgen an. Punkt sieben Uhr früh. Sie sitzen vor den ehemaligen Arbeitsämtern und warten auf Abruf: Fünfzehn Pgs zum Schuttwegräumen. Acht Pgs zum Leichenausgraben. Dreißig Pgs zum Straßenkehren, zum Kloakensäubern, zum Steineklopfen. Sie klopfen Steine. Sie graben Leichen aus. Sie säubern Kloaken. Es ist kein leichtes Brot, das man sie essen läßt, die »Kulis von Berlin«.

Wir schreiben Bescheinigungen und fertigen Leumundszeugnisse aus. Wo man es verantworten kann, soll man nicht rachsüchtig sein.

Freitag, 18. Mai 1945

In Friedenau gibt es Licht. Wir radeln hin, um das Wunder zu bestaunen. Zum erstenmal seit dem 24. April hören wir wieder den englischen Sender. Er spricht eine scharfe Sprache gegen uns. Will man uns wirklich in einen Topf werfen, die Nazis mit den Antinazis? Uns in Bausch und Bogen verantwortlich machen? Warum bestraft man nicht Streicher und Ley? Herrn Ribbentrop und Herrn Himmler? Hitler ist tot. Herr Goebbels hat sich umgebracht. Wie Aale schlüpften sie den Rächern aus dem Netz. Sollen zu guter Letzt nur die kleinen Fische darin zappeln, um vor dem Welttribunal seziert zu werden?

Montag, 21. Mai 1945

Der Reinhardt-Direktor Herzberg hat die Kammer der Kunstschaffenden gegründet. Für »geistig verantwortliche Arbeiter« bewilligen die Kommandanturen die höchste Ernährungsstufe. In Scharen strömen Dichter und Musiker, Sänger und Schauspieler zur Eintragung, präsentieren Leumundszeugnisse, füllen Formulare aus und versichern das Blaue vom Himmel an Eides Statt. Weh dem, der diese Schwüre einmal nachprüfen muß! Dem »unbescholtenen Kulturschaffenden« winkt Lebensmittelkarte I. Das bedeutet bei den fünf geltenden Ernährungsstufen eine Brotration von sechshundert Gramm täglich, von dreißig Gramm Fett und hundert Gramm Fleisch. Parteigenossen, Berufslose und Hausfrauen erhalten Karte V. Das heißt: dreihundert Gramm Brot täglich, sieben Gramm Fett und zwanzig Gramm Fleisch. »Hungerkarte« hat sie das Volk getauft.

Dienstag, 22. Mai 1945

Immer mehr feste Punkte zeichnen sich aus dem Chaos ab. Zwar wurden die politischen Organisationen verboten, doch auf den Bezirksbürgermeistereien zeigt man sich allmählich konstant. Schon haben wir es bis zum Stadtmagistrat gebracht. Die Regierung steht. Und sehnsüchtig warten die Berliner darauf, regiert zu werden.

Donnerstag, 24. Mai 1945

»Morgen um zehn Uhr ist meine erste Probe«, verkündete Andrik gestern beim Abendbrot. Wir blickten ihn an wie ein Wunder. Nachdem er zwölf Tage lang mit seinem klapperigen Fahrrad kreuz und quer durch Berlin gefahren ist, Genehmigungen erhandelt, Instrumente beschafft, Musiker zusammengetrommelt und einen Saal in den Trümmern gefunden hat, steht er jetzt, als wäre nichts geschehen, vor dem Philharmonischen Orchester und probiert. Um ihn herum klopfen Handwerker. Es gibt keine Säle in Berlin. Es gibt auch keine Verkehrsmittel, keine Plakate und Annoncen. Man sagt, daß am Montag die erste Zeitung erschienen sei. Vielleicht wird man auch bis übermorgen das Dach repariert haben. Vielleicht.

Andrik stört das alles nicht. Als die Probe vorüber ist, setzt er sich auf sein Rad und fährt zur Kommandantur. »Man muß den Musikern mehr zu essen beschaffen«, sagt er. »Mit knurrendem Magen kann keiner Trompete blasen.« Der Kommandant zeigt Verständnis. Die Russen lieben Musik.

»Wir werden uns anstrengen müssen, mit dir Schritt zu halten«, meint Frank, während wir am Abend um den Ziegelherd sitzen. Dagmar kocht Würfelsuppe und versucht sich in russischer Grütze. Andrik lächelt ein bißchen erschöpft. »Man muß nur einfach anfangen.« – »Ich habe schon angefangen«, bemerkt Jo Thäler still. »Im Krankenhaus Schöneberg. Ab heute.«

Freitag, 25. Mai 1945

Auch Frank ist der Absprung ins Bürgerliche gelungen. Halb stolz, halb verlegen zeigt er uns seine Ernennung zum Amtsarzt. Nicht ganz einfach die Umstellung, nach zehn Monaten Tauchzeit. Wieder gibt es um den Ziegelherd eine Fülle von Gesprächen. Daß Heike und Fabian ein Kabarett gründen wollen, daß morgen das erste Konzert der Philharmoniker stattfindet, daß man im Schöneberger Krankenhaus eine Seuchenstation eröffnet und daß mein Verlag sich um Zulassung bemüht.

Nur Dagmar ist noch nicht eingeordnet. Mischlinge ersten Grades durften bisher nur Straßen kehren und Omnibusse säubern.

Samstag, 26. Mai 1945

Heike und Fabian haben ein Volkssturmlokal entdeckt. Einen wahren Misthaufen. Es starrt von Dreck und Gerümpel. Aber es besitzt ein Dach, vier Wände und einen Fußboden. »Nach einer Woche werdet ihr es nicht wiedererkennen«, versichert Fabian.

Um sechs Uhr abends beginnt Andriks Konzert. Punkt fünf Uhr zwanzig satteln wir unsere Räder. Andrik eröffnet die »Kavalkade«. Um ihn zu feiern, lassen wir ihn sein Fahrrad allein benutzen. Ihm folgen Fabian mit Heike auf der Querstange, dann Frank mit mir, zuletzt Jo mit Dagmar. Das Eingangsportal des Titania-Palastes ist schwarz von Menschen. »Toi-toi-toi!« sage ich zu Andrik. Er nickt mir liebevoll zu, streift seine Radklammern von den Hosen und verschwindet im Künstlerzimmer.

Im Saal wird es dunkel. Fast tausend Menschen sitzen in schweigender Erwartung. Sie kamen zu Fuß und zu Rad. Aus ihren Trümmerwohnungen, aus den Sorgen ihrer Tage, der Angst ihrer Nächte. Beglückt drücke ich Franks Arm. »Sie sind doch nicht so schlimm«, flüstere ich ihm zu. Dann ist Andrik da. Er hebt den Taktstock. Mendelssohn, Mozart und die vierte Symphonie von Tschaikowsky. »Daß so was noch möglich ist«, stammelt neben mir ein Mann. Wir haben vergessen, daß es Nazis gibt, einen verlorenen Krieg und Besatzungstruppen. Plötzlich ist alles unwichtig geworden. Unwichtig vor Mendelssohn, Mozart und Tschaikowsky.

Spät abends stehe ich mit Andrik auf dem Balkon. »... daß wir leben dürfen«, sagt er leise. »... daß wir übrigblieben.« (...)

Dienstag, 16. Juli 1946

Freunde brachten uns heute die erste Nachricht von Kurt Eckhardt, dem Putschisten und Nazisaboteur. Auch er ist durchgekommen und soll für eine westalliierte Abwehrorganisation arbeiten. Seltsam, wohin die Wege unserer Clique auseinanderlaufen.

Fast jeder von uns tut Dinge, die er vor wenigen Jahren noch unmöglich gefunden hätte. Unmöglich, sich damals vorzustellen, daß man nach Tabakresten fremder Leute hascht, sie mit bloßen Fingern aus den Aschbechern öffentlicher Verkehrsmittel klaubt. Unmöglich, auf der Jagd nach Kalorien, Mülleimer zu durchstöbern, in Abfallhaufen alliierter Küchen nach eßbaren Resten zu wühlen. Unmöglich? Wenn man Hunger hat, ist nichts mehr unmöglich. Wenn ein Raucher nichts zu rauchen hat, gerät seine Würde ins Wanken. »Fang«, sagt ein amerikanischer Soldat und wirft einem Deutschen seine halbgerauchte Zigarette zu. Wie ein Huhn schießt der nach dem Stummel, bückt sich und pickt ihn auf. Der Soldat lacht. Wenn er sich's recht überlegte, müßte er weinen, statt lachen.

Um die Messen der Alliierten wimmelt es von Beutesuchern. »Fang«, denken sie und schleppen die weggeworfenen Konservenbüchsen nach Hause, um dort ihre letzten Reste herauszukratzen und mit Wasser in die Suppe zu spülen. »Fang!« – Bist du hungrig genug, so vergeht dir der Ekel. (...)

Samstag, 21. Dezember 1946

»Was hältst du von einem Weihnachtsbaum?« fragt Frank mich heute morgen. »Viel«, antworte ich, »nur gibt es leider keine. Es sei denn, du hättest einen Ausweis als Kinderreicher oder als Opfer des Faschismus.« Frank lacht. »Oder eine Säge«, ergänzt er listig. Wir sitzen gemeinsam am Frühstückstisch. Brot, Margarine und lauwarmer Kaffee. 20 Grad Kälte draußen, ein Grad unter Null in der Küche und vier Grad minus im Badezimmer. Schon zweimal ist Heike während der letzten Nächte das Wärmflaschenwasser im Bett eingefroren. Seit Montag hat man in der Siedlung das Wasser abgestellt. Über siebzig Rohrbrüche, behauptet der Verwalter. Es fehle der Lötzinn. Vor drei Monaten sei an Reparaturen nicht zu denken. Gesegnete Aussichten! Noch 22 Briketts im Keller, acht bis zehn Stunden Stromsperre täglich. – Kein Wasser, keine Kochmöglichkeit und keinerlei Chance, Toilette oder Badewanne zu benutzen. »Frierst du auch so wie ich?« fragt Frank. Zur Antwort schnattere ich ein bißchen mit den Zähnen. »Wenn man wenigstens Petroleum bekäme oder eine vernünftige Kerze.« – »Sechs Mark pro Stück«, sagt Frank trocken. »Unter der Hand soviel du haben willst.« Er schlägt den

Mantelkragen hoch, wickelt sich in etliche Wollschale und gibt mir den Abschiedskuß. »Also, wie ist es mit dem Weihnachtsbaum?« Ich nicke. »Um drei, wenn du kannst, um sechs wird es dunkel.«

Um zehn Uhr erscheint Heike. Rotnasig, in Pelzmantel und Überschuhen. »Wenn ich nicht gleich einen Schnaps trinke, taue ich nie mehr auf!« sagt sie kläglich. Ich schüttle die letzten Tropfen aus der Kognakflasche. »Mit Andacht, Liebling«, beschwöre ich sie, »du schlürfst pures Gold.« Siebenhundert Mark die Flasche ist kein Pappenstiel. Gemeinsam setzen wir den frisch erworbenen Kanonenofen in Brand. Er raucht, wie fast jeden Morgen, und was er an Wärme spendet, lüften wir hustend wieder heraus. Wasserholen – Holzspalten, Strom abpassen, Spüleimer in die Ruinen schleppen – bis drei Uhr vergeht der Tag mit Arbeit und Plage. Dann starten Frank und ich, eine Säge unter dem Mantel, zur verabredeten Weihnachtsbaumaktion. Wie Watte liegt der Schnee über den verödeten Schrebergärten. Wie in Watte packt er die Ruinen, die zerborstenen Eisenträger der gesprengten Kanalbrücken. Kopfschüttelnd blickt Frank auf die schweigsame Landschaft. »Und das nennt sich Großstadt!« – »Nicht mehr«, verbessere ich ihn, »seit fünf Minuten befindest du dich in der russischen Zone.«

In der Ferne taucht die Teltower Schleuse auf. Ein russischer Schlagbaum. Ausweiskontrolle. »Um Himmels willen, ich hab meine Papiere vergessen.« Wie gelähmt vor Schrecken taste ich alle Taschen ab. »Mädchen!« sagt Frank entgeistert. Im nächsten Moment zieht er mich hastig hinter den Lattenzaun des Schleusengasthofs. Durch Küche und Wirtschaftsräume dringen wir, Entschuldigungen murmelnd, zur Gaststube vor. Ihr Ausgang liegt drei Meter jenseits der Barriere. Am Schanktisch demonstrieren wir bürgerliche Unbescholtenheit und bestes Gewissen. Wer ohne Personalausweis auf der Straße getroffen wird, macht sich strafbar. Jede Kontrolle hat das Recht, ihn zu verhaften. Verhaftung durch die Russen? Schon mancher kam von solcher Festnahme erst nach Wochen oder gar nicht mehr zurück. Als wir in verdächtiger Eile über die Dorfstraße laufen, wendet uns die Schlagbaumkontrolle ahnungslos den Rücken.

Hinter der Teltower Schleuse beginnt der Wald. Es gibt nicht viele Fichten in der Umgebung Berlins. »Kiefer tut es schließlich auch«, beschließt Frank, nachdem wir zwanzig Minuten durch knietiefen Schnee gewatet sind. Eilig packt er die Säge aus. Ein rascher Blick nach rechts und nach links – den illegalen Blick hat ihn Andrik getauft –, und sauber abgesägt liegt neben uns im Schnee eine bildschöne Kiefer. Als wir auf dem S-Bahnhof Drei-Linden dem Abteil für »Reisende mit Traglasten« zustreben, entdecken wir in seinem unbeleuchteten Dunkel eine ganze Versammlung von Weihnachtskiefern.

Sonntag, 22. Dezember 1946

»Wenn man nur wüßte, was man dranhängen sollte«, grübelt Heike, als sie unsere Trophäe von gestern betrachtet. Dranhängen und drunterlegen. Ein schwieriges Problem. Gewiß, es gibt Geschäfte. Nur mag man das, was in ihnen angeboten wird, nicht kaufen. Man kann sich schließlich nicht zu jeder Gelegenheit mit einer kitschig bemalten Schmuckkachel beschenken, einem neuen Aschenbecher oder einer Ansteckblume. Auch die Aufnahmefähigkeit für Feuerhaken, Kartoffelstampfer, Schöpfkellen und Schaumlöffel hat ihre Grenzen. Für den schwarzen Markt reicht nur noch die Kaufkraft der Schieber. Ein Stück Seife – vierzig Mark. Eine Weihnachtsgans – tausendvierhundert Mark. Ein Paar Schuhe – tausend Mark. Ein Pfund Schokolade – fünfhundert Mark. Ein Anzugstoff – dreitausend Mark. Kein Mensch kann legal soviel verdienen, wie er bezahlen müßte, um das Lebensnotwendigste anzuschaffen. Also wird getauscht. Den Silberkasten der Aussteuer gegen Zigaretten, Kaffee, einen Wintermantel und einen Anzugstoff. Das Meißner-Service der Urgroßmutter gegen zehn Pfund Zucker, fünf Flaschen Schnaps, drei Päckchen Tabak, zwölf Zentner Kohlen, ein Paar Überschuhe. Der Preis regelt sich nach der Nachfrage. Groß ist die Nachfrage unserer Sieger nach Wert- und Kulturgegenständen. Groß – fast beschämend groß – unser Eifer, sich ihrer zu entäußern. Fünfundachtzig Prozent aller Berliner leben über ihre Kartenzuteilung hinaus von zusätzlichen Produkten, stellte kürzlich eine amerikanische Umfrage fest. Das heißt, mehr als Dreiviertel der Bevölkerung beteiligen sich heute am Schwarzhandel.

»Also, was hängen wir dran und was legen wir drunter?« unter bricht Heike mein Wirtschafts-Resumé. Nach einstündiger Beratung und gemeinsamem Kassensturz einigen wir uns auf ein Dutzend Kerzen – Kostenpunkt zweiundsiebzig Mark, zwei Päckchen Lametta – Kostenpunkt je acht Mark fünfzig, ein Dutzend Lichthalter – Kostenpunkt, da legal erhältlich, je zwanzig Pfennig und Zutaten für vier Teller Weihnachtsgebäck. Dann werden die Bestände »ausgekämmt«. Für Frank eine fast neue Brieftasche, für Jo ein seidener Schal.

Dienstag, 24. Dezember 1946

Was ist Heiligabend ohne Weihnachtslied. Als es dämmert, gehen Heike und ich in die Kirche. An den hohen Fichten rechts und links vom Altar brennen sechs trübselige Paraffinlichter. Wie graue Schatten hocken in den Bänken ein paar Dutzend verhärmter Menschen. »Friede auf Erden«, sagt der Pfarrer. Als er die Hände zum Segen erhebt, wird unter seinem Talar eine graue Strickweste sichtbar. Er friert, daß es einen erbarmen kann. Wir frieren ebenfalls. Auch der Christus am Kreuz scheint zu frieren. Gedrückt sitzen die Zuhörer auf ihren Plätzen. So mögen sie nach dem Dreißigjährigen Krieg in den Kirchen gesessen haben. So jammervoll müde, so armselig und trostlos. Zu Hause erwarten uns Frank und Jo. Zur Feier des Tages haben sie den Tisch vor dem Kamin gedeckt. »Vom Himmel hoch, da komm ich her«, schallt es aus dem Radio. Frank zündet den Weihnachtsbaum an. »Andrik«, denke ich. »Geliebter Andrik!« (…)

Freitag, 31. Januar 1947

Wieder sinkt das verfluchte Thermometer. Eine Kältewelle löst die andere ab. Stromabschaltungen acht bis zehn Stunden am Tag. Wer heute noch heizen kann, heizt »schwarz«. Mit Rucksäcken, Kiepen und Markttaschen ziehen die Menschen in den Grunewald, drängen sich in den überfüllten Zügen, verschwenden Stunden und Stunden, um für einen einzigen Tag Feuerung zu suchen. Mit dürren Worten melden die Zeitungen: »Verhungert und erfroren wurden in ihren Betten aufgefunden … der dreiundsiebzigjährige Rentner Gerhard Z. …, die vierundsechzigjährige Anna K. …, die neunundfünfzigjährige Bertha O. …, der einjährige Joachim D. …« Je tiefer das Thermometer fällt, desto gespenstischer wächst die Statistik der Kälteopfer.

Ich komme aus der Stadt. Im Kamin brennt ein spärliches Holzfeuer. Frank sitzt vor einem Stapel Zeitungen. »Unsere Sieger haben Zuwachs bekommen«, empfängt er mich und reicht mir eine der vielen Zeitungen. »Österreich das erste Opfer der Aggression Hitlers ...«, lese ich. »Ersatzansprüche Österreichs an Deutschland ...« – »Das ist ja ein tolles Stück.« Ich bin fassungslos. »Ausgerechnet die Achsenbrüder. Die beflissenen Jasager und Zujubler von 1938!« Frank grinst. »Das muß ihnen entfallen sein. Zugleich mit dem Faktum, daß Adolf Hitler kein Deutscher, sondern ein Österreicher war.« Ich erinnere mich noch gut an das Sieg-Heil-Gebrülle am 12. März 1938, als Andrik und ich am Radio saßen und es einfach nicht wahrhaben wollten, daß aus dem erwarteten Aufstand ein nationalsozialistischer Triumphzug geworden war. ›Österreich ist ein Land des Deutschen Reiches. Seyss-Inquart, Reichsstatthalter. Das Bundesheer der deutschen Wehrmacht eingegliedert. Heer, Polizei und Beamte auf den Führer vereidigt‹, hieß es am 13. März 1938 zwischen Fanfarengetöse und Badenweilermarsch im deutschen Sender. Hatte sich einer geweigert, den Eid zu leisten? War auch nur einer aufgestanden, dem einziehenden Triumphator eine Bombe an den Kopf zu werfen? 1933 ahnte man noch nicht, welcher Verbrechen dieser Mann fähig war. 1938 wußte man es – mußte es wissen, aus Emigrantenberichten, Judengesetzen, Kommunistenverfolgungen, Konzentrationslagern. Warum zog man nicht die Konsequenzen? Wagt sie erst heute zu ziehen, nachdem Herr Hitler tot ist. Damals war Österreich begeistert über den Anschluß und heute verlangt es Reparationen. Es ist unfaßbar. »Ist denn die Welt ganz verrückt geworden?« – »Auf jeden Fall gebärdet sie sich so«, brummt Frank und wirft die Zeitungen mit einer Handbewegung in den Kamin. (...)

Mittwoch, 24. September 1947

In Nürnberg reiht sich Prozeß an Prozeß. Die NS-Juristen, die NS-Ärzte, die verantwortlichen Leiter des IG Farbenkonzerns, hohe Militärs, hohe Parteiführer. Seit anderthalb Jahren vergeht kein Tag, in dem nicht mindestens eine Spalte der ersten Zeitungsseite mit Berichten über die Nürnberger Verhandlungen gefüllt ist. Man schaut schon gar nicht mehr hin. Weltgericht in Permanenz hört auf, an die Zerknirschung zu appellieren. Die Prominenten und Hochprominenten im Scheinwerferlicht journalistischer Sensationsgier. Der Bettvorleger Heinrich Himmlers geht zu Höchstpreisen nach Amerika. Ein scheußlicher Silberpokal, den der Einfall eines Schlaumeiers mit der Gravierung »Adolf Hitler – seinem lieben Reichsjägermeister« verzierte, trägt dem Besitzer vier Stangen Chesterfield ein. Justitia verhüllt ihr Antlitz. Und wer geht als Sieger durch das Schneckenrennen der Spruchkammern? Wer nachweisen kann, daß er in die Partei »nur hereingezwungen« war. Wer glaubhaft zu machen weiß, daß er einem oder auch mehreren Juden während der Nazizeit Unterstützung gewährte. Wenn man die Berichte der Spruchkammerentlastungen liest, so entfallen auf jeden gehetzten Juden etwa sechzig Parteigenossen, die, zum mindesten durch gelegentliche Kartoffelspenden, sein grausames Los zu erleichtern trachteten. In manchen Berliner Bezirken kann man sich Beweise über das »Hereingezwungensein« und einen kartoffelunterstützten jüdischen Zeugen für tausend Reichsmark besorgen.

»Die Grundregelung ist falsch«, sagen die Vernünftigen. Wenn unsere Richter uns zu Demokraten erziehen wollen, müssen sie nicht das Hereinzwingen belohnen, sondern das Bekennen. Ein Heer von Verantwortungslosen entlassen sie so. Jedes Entnazifizierungsverfahren dauert zehn Monate. Dazwischen schwebt man im Leeren. Weder Fisch noch Vogel, weder Staatsbürger noch Verbrecher. (…)

Hannah Arendt

Besuch in Deutschland

Hannah Arendt, geboren 1906 in Hannover, wächst in Königsberg auf und studiert Philosophie, Theologie und Klassische Philologie bei Martin Heidegger, Edmund Husserl und Karl Jaspers, bei dem sie 1929 über den Liebesbegriff bei Augustinus promoviert und mit dem sie eine lebenslange Freundschaft verbindet: »Wo Jaspers hinkommt und spricht, da wird es hell«, sagt sie über ihren Doktorvater in einem Gespräch 1964.

Als intellektueller Jüdin ist ihr frühzeitig klar, was es mit den Nationalsozialisten auf sich hat; kurzzeitig verhaftet wegen »Greuelpropaganda«, emigriert sie noch 1933, zunächst nach Paris, später, nach der Entfesselung des Zweiten Weltkrieges, in die Vereinigten Staaten. Von 1948 bis 1952 leitet sie die »Jewish Cultural Organization«, die sich der Bewahrung jüdischen Kulturguts widmet. Der Durchbruch als Politologin gelingt Hannah Arendt mit ihrer Studie ›The Origins of Totalitarism‹, die 1951 zunächst in Amerika, 1955 unter dem Titel ›Elemente und Ursprünge totaler Herrschaft‹ auch auf deutsch erscheint. Lehraufträge und Professuren für Politische Theorie führen sie nach Princeton, Chicago und New York.

1961 reist sie für die Zeitschrift ›New Yorker‹ als Beobachterin zum Eichmann-Prozeß nach Jerusalem. Ihr Bericht, der zunächst in fünf Essays im ›New Yorker‹ erscheint und den sie kurz darauf zu einem Buch erweitert, löst eine internationale Kontroverse aus, in deren Verlauf Arendt auch von jüdischer Seite heftig angegriffen wird, was sie zutiefst verstört. »Das Beunruhigende an der Person Eichmanns«, so schreibt sie am Schluß ihres brillanten Buches, »war doch gerade, daß er war wie viele und daß diese Vielen weder pervers noch sadistisch, sondern schrecklich und erschreckend normal waren und sind.« Hannah Arendt stirbt 1975 in New York.

In weniger als sechs Jahren zerstörte Deutschland das moralische Gefüge der westlichen Welt, und zwar durch Verbrechen, die niemand für möglich gehalten hätte, während die Sieger die sichtbaren Zeugnisse einer über tausendjährigen deutschen Geschichte in Schutt und Asche legten. Danach strömten in dieses verwüstete Land, das durch den Schnitt entlang der Oder-Neiße-Linie verkleinert wurde und seine demoralisierte und erschöpfte Bevölkerung kaum versorgen konnte, Millionen von Menschen aus den Ostgebieten, dem Balkan und aus Osteuropa. Dieser Menschenstrom fügte dem üblichen Katastrophenbild noch spezifisch moderne Züge, nämlich Heimatverlust, soziale Entwurzelung und politische Rechtlosigkeit hinzu. Man mag bezweifeln, ob die Politik der Alliierten, alle deutschen Minderheiten aus nichtdeutschen Ländern zu vertreiben – als ob es nicht schon genug Heimatlosigkeit auf der Welt gäbe –, klug gewesen ist; doch außer Zweifel steht, daß bei denjenigen europäischen Völkern, die während des Krieges die mörderische Bevölkerungspolitik Deutschlands zu spüren bekommen hatten, die bloße Vorstellung, mit Deutschen auf demselben Territorium zusammenleben zu müssen, Entsetzen und nicht bloß Wut auslöste.

Der Anblick, den die zerstörten Städte in Deutschland bieten, und die Tatsache, daß man über die deutschen Konzentrations- und Vernichtungslager Bescheid weiß, haben bewirkt, daß über Europa ein Schatten tiefer Trauer liegt. Beides zusammen hat dazu geführt, daß man sich an den vergangenen Krieg schmerzlicher und anhaltender erinnert und die Angst vor künftigen Kriegen an Gestalt gewinnt. Nicht das »deutsche Problem«, insofern es sich dabei um einen nationalen Konfliktherd innerhalb der Gemeinschaft der europäischen Nationen handelt, sondern der Alptraum eines physisch, moralisch und politisch ruinierten Deutschlands ist ein fast ebenso entscheidender Bestandteil im allgemeinen Leben Europas geworden wie die kommunistischen Bewegungen.

Doch nirgends wird dieser Alptraum von Zerstörung und Schrecken weniger verspürt und nirgendwo wird weniger darüber gesprochen als in Deutschland. Überall fällt einem auf, daß es keine Reaktion auf das Geschehene gibt, aber es ist schwer zu sagen, ob es sich dabei um eine irgendwie absichtliche Weigerung zu trauern oder um den Ausdruck einer echten Gefühlsunfähigkeit handelt. Inmitten der Ruinen schreiben die Deutschen einander Ansichtskarten von Kirchen und Marktplätzen, den öffentlichen Gebäuden und Brücken, die es gar nicht mehr gibt. Und die Gleichgültigkeit, mit der sie sich durch die Trümmer bewegen, findet ihre Entsprechung darin, daß niemand um die Toten trauert; sie spiegelt sich in der Apathie wieder, mit der sie auf das Schicksal der Flüchtlinge in ihrer Mitte reagieren oder vielmehr nicht reagieren. Dieser allgemeine Gefühlsmangel, auf jeden Fall aber die offensichtliche Herzlosigkeit, die manchmal mit billiger Rührseligkeit kaschiert wird, ist jedoch nur das auffälligste äußerliche Symptom einer tief verwurzelten, hartnäckigen und gelegentlich brutalen Weigerung, sich dem tatsächlich Geschehenen zu stellen und sich damit abzufinden.

Diese Gleichgültigkeit und die Irritation, die sich einstellt, wenn man dieses Verhalten kritisiert, kann an Personen mit unterschiedlicher Bildung überprüft werden. Das einfachste Experiment besteht darin, *expressis verbis* festzustellen, was der Gesprächspartner schon von Beginn der Unterhaltung an bemerkt hat, nämlich daß man Jude sei. Hierauf folgt in der Regel eine kurze Verlegenheitspause; und danach kommt – keine persönliche Frage, wie etwa: »Wohin gingen Sie, als Sie Deutschland verließen?«, kein Anzeichen von Mitleid, etwa dergestalt: »Was geschah mit Ihrer Familie?« – sondern es folgt eine Flut von Geschichten, wie die Deutschen gelitten hätten (was sicher stimmt, aber nicht hierhergehört); und wenn die Versuchsperson dieses kleinen Experiments zufällig gebildet und intelligent ist, dann geht sie dazu über, die Leiden der Deutschen gegen die Leiden der anderen aufzurechnen, womit sie stillschweigend zu verstehen gibt, daß die Leidensbilanz ausgeglichen sei und daß man nun zu einem ergiebigeren Thema überwechseln könne. Ein ähnliches Ausweichmanöver kennzeichnet die Standardreaktion auf die Ruinen. Wenn es überhaupt zu einer offenen Reaktion kommt, dann besteht sie aus einem Seufzer, auf welchen die halb rhetorische, halb wehmütige Frage folgt: »Warum muß die Menschheit immer nur Krieg führen?« Der Durchschnittsdeutsche sucht die Ursachen des letzten Krieges nicht in den Taten des Naziregimes, sondern in den Ereignissen, die zur Vertreibung von Adam und Eva aus dem Paradies geführt haben.

Eine solche Flucht vor der Wirklichkeit ist natürlich auch eine Flucht vor der Verantwortung. Hierbei stehen die Deutschen nicht allein da; alle Völker Westeuropas haben die Angewohnheit entwickelt, für ihr Mißgeschick Kräfte verantwortlich zu machen, die außerhalb ihres Einflußbereichs liegen: damit mag heute Amerika und der Atlantikpakt gemeint sein, morgen die Hinterlassenschaft der Nazi-Besatzung und täglich die Geschichte ganz allgemein. Doch in Deutschland ist diese Haltung ausgeprägter, denn dort kann man der Versuchung kaum widerstehen, den Besatzungsmächten für alles Erdenkliche die Schuld zuzuschieben: In der britischen Zone ist es die Furcht der Briten vor der deutschen Konkurrenz, in der französischen Zone der französische Nationalismus und in der amerikanischen Zone, wo die Lage in jeder Hinsicht besser ist, die amerikanische Unkenntnis der europäischen Mentalität. Daß die Leute sich beklagen, ist nur natürlich, und die Beschwerden enthalten alle einen Kern von Wahrheit; doch dahinter steckt ein hartnäckiger Widerwille, die vielen Möglichkeiten zu nutzen, die deutscher Initiative überlassen sind. Dies offenbart sich vielleicht am deutlichsten in den Zeitungen, in denen jede geäußerte Überzeugung einen Anstrich von *Schadenfreude* erhält – ein Stil, der sorgfältig kultiviert wird. Es sieht so aus, als ob sich die Deutschen nun, nachdem man ihnen die Weltherrschaft verwehrt hat, in die Ohnmacht verliebt hätten, als ob sie, ungeachtet der möglichen Konsequenzen für sich selbst, jetzt ein richtiges Vergnügen daran fänden, Betrachtungen über die internationalen Spannungen und die beim Regierungsgeschäft unvermeidlichen Fehler anzustellen. Furcht vor einer russischen Aggression führt nicht notwendigerweise zu einer unzweideutigen proamerikanischen Haltung, sondern oftmals zu einer entschiedenen Neutralität, als ob eine Parteinahme in dem Konflikt ebenso absurd wäre wie bei einem Erdbeben. Das Bewußtsein, daß eine neutrale Haltung das eigene Schicksal nicht zu ändern vermag, verhindert seinerseits die Verwandlung dieser Stimmung in rationale Politik, so daß sich diese an sich schon äußerst irrationale Atmosphäre noch verschlimmert.

Aber die Wirklichkeit der Nazi-Verbrechen, des Krieges und der Niederlage beherrschen, ob wahrgenommen oder verdrängt, offensichtlich noch das gesamte Leben in Deutschland, und die Deutschen haben sich verschiedene Tricks einfallen lassen, um den schockierenden Auswirkungen aus dem Weg zu gehen.

Aus der Wirklichkeit der Todesfabriken wird eine bloße Möglichkeit: die Deutschen hätten nur das getan, wozu andere auch fähig seien (was natürlich mit vielen Beispielen illustriert wird) oder wozu andere künftig in der Lage wären; deshalb wird jeder, der dieses Thema anschneidet, *ipso facto* der Selbstgerechtigkeit verdächtigt. In diesem Zusammenhang wird die Politik der Alliierten in Deutschland oft als erfolgreicher Rachefeldzug dargestellt, auch wenn sich später herausstellt, daß diejenigen Deutschen, die diese Auffassung vertreten, ganz genau wissen, daß sich die meisten ihrer Klagen entweder auf unmittelbare Folgeerscheinungen des verlorenen Krieges beziehen oder auf Dinge, auf welche die Westmächte keinen Einfluß besaßen. Aber die beharrliche Behauptung, daß es einen ausgeklügelten Racheplan gebe, dient als beruhigendes Argument für den Beweis, daß alle Menschen gleichermaßen Sünder seien.

Die Realität der Zerstörung, die jeden Deutschen umgibt, löst sich in einem grüblerischen, aber kaum verwurzelten Selbstmitleid auf, das jedoch rasch verfliegt, wenn auf einigen breiten Straßen häßliche Flachbauten, die an irgendeiner Hauptstraße in Amerika stehen könnten, errichtet werden, um ansatzweise die trostlose Landschaft zu verdecken und eine Fülle provinzieller Eleganz in supermodernen Schaufenstern feilzubieten. Verglichen mit der Haltung der Deutschen angesichts all ihrer verlorenen Schätze verspüren die Menschen in Frankreich und Großbritannien eine tiefere Trauer über die weniger zerstörten Wahrzeichen ihrer Länder. In Deutschland wird die verstiegene Hoffnung geäußert, das Land werde das »modernste« Europas; doch dies ist bloßes Gerede, und kaum hat jemand von dieser Hoffnung gesprochen, dann versteift er sich kurz später im Gespräch darauf, daß der nächste Krieg in allen anderen europäischen Städten dasselbe anrichten werde wie der vergangene in deutschen Städten – was natürlich möglich ist, was andrerseits aber nur ein erneuter Beleg für die Verwandlung der Realität in bloße Möglichkeit ist. Jener Unterton von Genugtuung, den man oftmals in den Gesprächen der Deutschen über den nächsten Krieg heraushören kann, signalisiert jedoch nicht, wie so viele Beobachter behauptet haben, das bösartige Wiederaufleben deutscher Eroberungspläne, sondern stellt nur einen weiteren Kunstgriff dar, um vor der Wirklichkeit zu fliehen: angesichts einer unterschiedslosen und endgültigen Zerstörung würde nämlich die deutsche Situation ihre Brisanz verlieren.

Lally Horstmann

Kein Grund für Tränen

Leonie »Lally« Horstmann kommt 1898 als Tochter des erfolgreichen jüdischen Bankiers Paul von Schwabach zur Welt. Zum persönlichen Umfeld des in großbürgerlichem Stil lebenden Schwabach zählen nicht nur Männer wie Walther Rathenau und Harry Graf Kessler, sondern auch Wilhelm II. Mit sechzehn verliebt sich Lally Schwabach in den zwanzig Jahre älteren Diplomaten Alfred Horstmann, den sie sechs Jahre später heiratet. Seine Karriere führt das Ehepaar nach Washington, Belgien und nach Portugal, wo Horstmann als Gesandter tätig ist. Zu Beginn des Jahres 1933 nimmt Horstmann seinen Abschied vom Auswärtigen Amt.

In der Endphase des Krieges zieht das Paar auf das Landgut Kerzendorf vor den Toren Berlins. Obwohl von seiner Frau, von Verwandten und Freunden dazu gedrängt, weigert sich Alfred Horstmann bis zum bitteren Ende, vor den anrückenden Russen in den sicheren Westen zu fliehen. Er bezahlt dafür mit seinem Leben: Vom sowjetischen Geheimdienst NKWD verhaftet, stirbt er 1947 im ehemaligen NS-Konzentrationslager Sachsenhausen, das die Sowjets als Internierungslager nutzen.

Für Lally Horstmann nimmt das gesellschaftliche Leben nach diesem traumatischen Erlebnis bald wieder seinen gewohnten Lauf – sie geht auf Empfänge, folgt Essenseinladungen, besucht Konzerte. Doch so richtig Tritt faßt sie nicht mehr in Deutschland. Sie emigriert in die USA und erzielt mit der englischen Fassung ihrer Erinnerungen einen großen Erfolg. In den wohl eindrücklichsten Szenen ihres Buches beschreibt sie ihre Erlebnisse aus der unmittelbaren Nachkriegszeit, ausgesetzt einer wildgewordenen Soldateska, die ständig auf der Jagd ist nach fremdem Eigentum und Frauen. Lally Horstmanns Schilderungen zeigen, was es heißt, wenn jede staatliche Ordnungsmacht verschwunden ist, wenn allein das Gesetz des Stärkeren regiert, und sind von eindrücklicher Aktualität. Lally Horstmann stirbt 1955 unter ungeklärten Umständen während einer Reise durch Brasilien.

Deutsche Soldaten kehrten aus Krieg und Gefangenschaft zurück und nahmen wieder ihren Platz in der Kerzendorfer Gemeinde ein. Darunter Frau Zahrns Ehemann Rudolf, unser Diener und schon Diener meiner Eltern. Er hatte in Berlin an den Kämpfen um den riesigen Luftschutzbunker Friedrichshain teilgenommen, wo seit 1939 ein Teil der Sammlungen aus den Berliner Museen ausgelagert war. Als der Flakturm gegen die sowjetischen Stoßtrupps nicht mehr gehalten werden konnte, ging ein SS-Kommando mit Flammenwerfern hinein, damit das Kunstgut nicht in Feindeshand falle. Unersetzbare Renaissancebronzen, die Wilhelm von Bode als Direktor des Kaiser-Friedrich-Museums gesammelt hatte, Orientteppiche, mittelalterliche Kathedralfenster – alles ging in Flammen auf.

Um dem Artilleriefeuer und den Gefechten in den Straßen zu entgehen, wo um jedes Haus, jede Brücke gekämpft wurde, flüchtete Rudolf mit ein paar Kameraden in den Schacht der S-Bahn Unter den Linden, wo ihnen Kugeln noch im Dunkeln nachpfiffen. Als die Rohrleitungen barsten, ergoß sich flutartig Wasser in den Tunnel, reichte ihnen erst bis ans Knie, stieg bis zum Gürtel, zum Hals, und sie mußten sich schwimmend retten. Auf diese, bis zu jenem Tag unübliche Weise – statt mit der Bahn – erreichten sie den Bahnhof Friedrichstraße und ergaben sich den Russen.

Im Gefangenenkonvoi kam Rudolf durch Lichterfelde. Hier hatten SS-Männer offensichtlich in voller Absicht eine Reihe von Häusern in Brand geschossen, damit die Bolschewiken keinen Unterschlupf fänden. Aber am Schluß hatten nun, wenige Stunden vor dem Ende des Krieges, die eigenen »Volksgenossen« kein Dach überm Kopf, während die Russen ganz komfortabel in der Kaserne unterkamen.

Eine vordringliche Aufgabe der Heimkehrer war das Einbringen der Ernte, wenn wir im kommenden Winter nicht verhungern wollten. Als die goldenen Korngarben auf den Stoppelfeldern standen, wurde bei der Besatzungsbehörde der elektrische Strom für die Ingangsetzung der Dreschmaschinen im Dorf beantragt. Eine Zeitlang befanden wir uns zwischen Hoffen und Bangen, dann wurde die Genehmigung erteilt, und ein anheimelnder Brummton begleitete unseren Alltag: »Weizen-wird-Mehl-und-Mehl-euer-Brot«, lautete der Text zur Melodie.

Das stetige Dröhnen bescherte uns auch Licht, ein unbezahlbares Geschenk. Lampen brannten wieder, und wenn die Dämmerung hereinbrach, konnten wir lesen, verfielen nicht länger der Grübelei. Nächte verloren viel von ihrem Schrecken, seitdem wir bei einem Geräusch Licht machen konnten.

Wir kamen uns vor wie Bienen in einem Bienenstock, die im Sommer Honig sammeln; wir wappneten uns mit angehäuften Vorräten gegen den Winter. Durch umständliche Tauschmanöver erhielten Ida und ich, wie auch die Frauen im Dorf, Einweckgläser und standen stundenlang bei Sonne im Garten, Kirschen und Himbeeren pflückend, von denen wir reichlich aßen und die wir dann mit sorgsam gehüteten Zuckervorräten einkochten und vorsichtig in die Gläser füllten. Da Fett eine Rarität war, freuten wir uns um so mehr, als eine Bäuerin mir einen großen Krug ungerahmter Kuhmilch zum Buttern schenkte. Ein Vergehen, auf dem für sie, wie auch für mich, Gefängnis stand, denn nach strikter Verordnung wurde alle Milch bei einer zentralen Sammelstelle abgeliefert und von dort – angeblich – an die Bevölkerung verteilt, was aber nicht der Fall war; die Milch verschwand und gelangte durch geheime Kanäle auf den schwarzen Markt. Die Bäuerin lieh mir auch ein großes Glasgefäß nach Art eines Cocktailshakers, die Milch wurde hineingegossen und feste geschüttelt, und nach kurzem verwandelte sich die sämige Flüssigkeit in eine dicke, goldgelbe Buttermasse. Diese Wundermaschine kam ihrem Erfinder wie das Ei des Kolumbus vor und gab ihr den entsprechenden Namen.

Eine Verordnung zwang die Bäcker, ihre Backstuben zu schließen. Mehl wurde uns zugeteilt, jeder sollte sein eigenes Brot herstellen. Die über Siebzigjährigen wurden unsere Lehrmeisterinnen in einer Fertigkeit, die keine von uns beherrschte. Sie brachten ihre schönen und schlichten alten Holzkummen an, in denen wir den Sauerteig kneteten und zu Brotlaiben formten. Wir arbeiteten den ganzen Tag. Dreschmaschinen summten die Begleitmelodie.

Ungefähr um diese Zeit weckte mich eines Nachts im August eine gewaltige Explosion. Ich tappte aus dem Bett, zog mich – in langem Training eingeübt – im Dunkeln an, um auf alle Eventualitäten vorbereitet zu sein. Wie ich die Türklinke in der Hand hielt, sah ich Blitze am Himmel zucken und merkte zu meiner unaussprechlichen Erleichterung, daß weder Bomben noch Maschinengewehre, sondern krachender Donner mich aus dem Schlaf gerissen hatte. Ich kroch gemütlich in die Federn zurück und lauschte, lange wachliegend, auf den leise rauschenden Regen und genoß das ungewohnte Gefühl physischer Sicherheit.

Weitere Schwierigkeiten kamen auf uns zu. Es waren neue Flüchtlingsscharen, die aber, anstatt auf ihrem Weg nach Westen zu irgendwelchen Verwandten hier nur ein oder zwei Tage in den Scheunen zu kampieren, nicht mehr fortgeschickt werden konnten, da sie kein Anlaufziel hatten. Weisungen wurden erlassen, jedes Dorf mußte eine bestimmte Anzahl aufnehmen. Kerzendorfs Einwohnerschaft stieg von dreihundert auf über tausend, zum Leidwesen der Einheimischen, die sich gezwungen sahen, ihre kargen Lebensmittelvorräte mit den Vertriebenen aus den früheren Reichsgebieten zu teilen. So unterschiedlich waren dort die geographischen und historischen Gegebenheiten, die Sitten und Bräuche, daß sie die Menschen als Ausländer betrachteten. Jeder Bissen wurde den Neuankömmlingen mißgönnt, und man behandelte sie mit Verachtung, so als hätten sie ihre Heimatlosigkeit selbst verschuldet.

Wohnraum mußte ihnen zugeteilt werden, und da sie notgedrungen am Familienleben der Hausbewohner teilnahmen, erwuchsen Spannungen durch das aufgezwungene Miteinander. Das belastete den Umgang noch mehr.

Die Unglücklichen reagierten mit wachsendem Neid auf ihre Gastgeber, denen erhalten geblieben war, was sie selber verloren hatten, und suchten ihr Selbstbewußtsein in wehmütigem, sehnsuchtsverklärtem Großtun mit ihrer einstigen Existenz zu stärken. Eine Familie von Sudetendeutschen, die aus Revanche für die Nazivergehen aus der Tschechoslowakei vertrieben worden war, blieb ungeachtet der Zwangsausweisung ihrer Heimat treu verbunden. Ihre Vaterlandsliebe, auch ihre Bewunderung für Benesch erlitt keine Einbuße, nur weil eine unpersönliche Bürokratie sie zu Staatsfeinden stempelte. Wenn sie abends zusammensaßen, schwelgten sie in Erinnerungen an die Stätten ihres früheren Lebens und sangen sudetendeutsche Volkslieder, um das Andenken an das Verlorene im Gedächtnis zu bewahren. Eine Frau war so heimwehkrank, daß nichts sie dazu bringen konnte, aufzustehen oder etwas zu essen; mit geschlossenen Augen auf dem Bett liegend, wollte sie in einem verzweifelten Entschluß ihr Leben beenden.

Manche Flüchtlinge verlangten mehr und mehr, wurden dennoch nie zufrieden. Sie wehrten sich gegen ihr Schicksal, kämpften dagegen an, kümmerten sich nicht darum, wenn sie anderen Schaden zufügten, da sie ja selber Geschädigte waren. Sie benahmen sich undankbar gegenüber ihren Wohltätern und würden ihnen gern alles weggenommen haben, scheuten sogar oft vor Diebstahl oder Denunziation nicht zurück.

Als der Pfarrer eines Sonntags in seiner Predigt dem Landvolk die Leviten las: »Ebensogut hätten die Umstände euch zu Flüchtlingen machen können, und ihr behandelt sie wie Menschen minderer Güte«, hörte man Schluchzen aus den Reihen derer, die sich verstanden und in Schutz genommen fühlten. Die Getadelten waren sichtlich betroffen, aber hin- und herschießende gehässige Blicke zeigten gleich, daß sie unbelehrbar blieben. Wieder eines Sonntags begann der Pastor seine Predigt mit den Worten, seit die Orgel im Krieg verbrannt sei, werde eine musikalische Umrahmung der Veranstaltungen in unserer Kirche schmerzlich vermißt. »Ein russischer Offzier«, fuhr er fort, »der ein Harmonium besitzt, hat es im Tausch gegen ein Koffergrammophon angeboten. Wenn der Eigentümer eines solchen Apparats unter uns ist und die Großzügigkeit hat, sich zugunsten der Gemeinde davon zu trennen, dann möge er nach dem Gottesdienst zu mir kommen.«

In den hinteren Bänken erhob sich ein erhitztes Wortgefecht zwischen einem Ehepaar. Der Mann stand auf, während seine Frau ihn beschimpfte, und stammelte eine in ihrer Mischung aus Zustimmung und Verlegenheit unzusammenhängend klingende Antwort. »Du, mein Sohn, verfügst über ein solches Gerät«, kam es von der Kanzel, »und du hast dich entschlossen, es uns allen um der Musik willen zum Geschenk zu machen? Wie können wir dir dafür genug danken?« Der Angesprochene lief puterrot an. Er rang darum, sich deutlich auszudrücken, bis er endlich herausbrachte, daß es ihm überhaupt nicht um das Harmonium gehe, daß er aber gewillt sei, sein Grammophon einzutauschen, wenn ihm der russische Herr dafür ein Lamm gäbe. Als der Geistliche ihn endlich zum Schweigen gebracht hatte, amüsierte uns das selbstgefällige Auftreten von Tuchlinsky und Frau, beide in feiertäglichem Schwarz; ihr Besuch des Gottesdienstes stand in überraschendem Widerspruch zu ihrem neuerlichen Übertritt zum Kommunismus. Wie er umständlich neben mir Platz nahm, murmelte er hinter vorgehaltener Hand und mit bedeutungsvollem Blick: »In Bälde werden hier die Amerikaner erwartet. Das sind religiös eingestellte Leute«; damit versuchte er seine und seiner Frau Anwesenheit zu erklären. »Ich habe ein paar englische Bücher angeschafft, gewissermaßen zur Vorbereitung für die Ankunft«, fuhr er wichtigtuerisch fort, während eine Hymne gesungen wurde, »ein hochinteressantes Werk, ganz antitotalitärer Tendenz, wie man mir sagte. Hab' ich ins Schaufenster gelegt, damit es die Amerikaner bei ihrem Einzug ins Dorf gleich sehen!«

Auf meinem Heimweg ging ich an dem Laden vorbei und war neugierig auf die Titel der ausgestellten Bände. Ich entdeckte die englische Übersetzung einer Studie zur Sexualpathologie von dem Neurologen Magnus Hirschfeld. (...)

Da endlich die Züge zwischen Ludwigsfelde und der Kapitale wieder regelmäßig verkehrten, hielten wir die Zeit für das Wagnis einer Berlinexpedition gekommen.

Am Nachmittag vor unserem Aufbruch gingen Ida und ich in den Park, um unsern dort vergrabenen Schatz ausfindig zu machen, den wir aus Gründen der Sicherheit nach Berlin bringen wollten. Mindestens zwei Stunden lang suchten wir alles ab, jedoch ohne Erfolg, wollten schon die Hoffnung aufgeben. Verbissen stocherten wir mit dem Spaten herum, bis Ida schließlich einen Freudenschrei tat, sie war auf den Kasten gestoßen. Schnell trugen wir ihn ins Haus und ließen soviel wie möglich von seinem Inhalt in dem besten aller Verstecke verschwinden: unsern Kleidersäumen. Anderntags brachen Ida und ich schon bei Morgengrauen auf, um den Zug zu erreichen. Rudolf Zahrn und Justus Eber sollten uns als Schutztruppe begleiten. Letzterer hatte noch keine Betätigung gefunden und wohnte weiterhin bei seiner Tochter in Ludwigsfelde.

Zum einen wollte er sich für die gastliche Aufnahme bedanken, zum andern sein erklärtes Lebensziel verfolgen: viel essen und womöglich gut.

»Ich bin ja bereit, was zu tun. Aber ich bin zu alt. Keiner nimmt mich als Arbeitskraft.« So hatte er sich auf eine neue Beschäftigung geworfen und betrieb Tauschhandel mit Dingen des täglichen Bedarfs: Kartoffeln gegen Schuhe, Schuhe gegen Alkohol, Schnaps gegen Obst, Obst gegen Fleisch, für Fleisch gab es Wollstrümpfe, und so immer weiter. Wenn ihm als Besitzer von ein paar wenigen Zigarettenpackungen oder eines Kohlensacks die Welt und ihre Reichtümer zu Füßen lagen, zeigte er sich befriedigt. Für Drückeberger und Spielernaturen war dies eine Art Revanche gegenüber den Erfolgreichen von gestern, ein Triumph über die Ehrbaren und Pflichtversessenen, ein boshaftes Vergnügen, daß die alten Moralbegriffe überholt waren, für null und nichtig erklärt. Kurzum, Justus Eber war mit fliegenden Fahnen zum schwarzen Markt übergewechselt, und weit davon entfernt, sich dessen zu schämen, war er vor lauter Bewunderung über seine eigene Gewieftheit wie elektrisiert.

Ida konnte sich ihre bissigen Kommentare nicht verkneifen, nannte ihn einen alten Schlimmling und hielt ihm als Muster an Rechtschaffenheit einen Biedermann vor Augen, den sie beide kannten. Eber reagierte zornig. »Seine Frau liegt krank zu Bett, weil sie keine Sohlen an den Schuhen hat, und seine Kinder sind unterernährt. Wer ist in den Augen unseres lieben Herrgotts nun besser, ich, der ich mich um meine Familie kümmere und sie versorge, oder der mit seiner Weigerung, sich dem Gebot der Stunde anzupassen?«

Auf dem Bahnhof in Ludwigsfelde patrouillierte russisches Militär. Wir spürten ein gewisses Nervenkribbeln, denn Uhren und andere begehrte Sächelchen schlugen beim Gehen sachte an meine Knie. Ida steckte in einer Art Rüstung: Zwei Dutzend Silberbestecke waren in den Nähten ihres Mantels untergebracht, Messer, Gabel und Löffel. Aber bevor wir befragt oder durchsucht werden konnten, kam die Lokomotive angedampft. Eilends kletterten wir in einen Güterwagen, der so knüppelvoll war, daß wir nur mit seitlich angepreßten Armen in der Masse der Mitreisenden stehen konnten, mit ihnen schwankend, wenn der Zug in die Kurve ging. Nach zwanzig Minuten erreichten wir die Grenze zum

Amerikanischen Sektor von Berlin und erhaschten durch den Fensterspalt einen Blick auf amerikanische Uniformen.

»Gott sei Dank«, seufzte Ida – ein gezielter Angriff auf die Selbstwertgefühle eines jungen Iwans, der neben uns im Gedränge eingeklemmt stand. Unter all diesen feindlich gesonnenen Menschen, deren Sprache er nicht verstand, wenn auch ihre Blicke, war ihm nicht wohl in seiner Haut.Nach mehrmaligem Umsteigen und langem Fußmarsch auf der Suche nach einer Behelfsbrücke bewegten wir uns zum ersten Mal seit Kriegsende auf den Straßen Berlins.

Der Unterschied in der Atmosphäre zwischen Kerzendorf und der Großstadt verschlug uns den Atem. Uniformen und die übrigen militärischen Hoheitszeichen, die den verlorenen Krieg symbolisierten, traten in Berlin genauso wie auf dem Lande in Erscheinung, aber hier empfand man nicht die Angst vor einem Überfall, mochte er nun der eigenen Person gelten oder sich eher allgemein abspielen, eine Angst, die ein Begleitelement unseres täglichen Lebens zu Hause war. Zahlreiche junge Mädchen schlenderten auf den Straßen, weil ihre Arbeitsstätten zerbombt oder geschlossen waren, und nutzten an diesem strahlenden Herbstmorgen ihre unfreiwilligen Ferien für einen Bummel. Wir starrten sie ungläubig an, so sorgfältig waren sie zurechtgemacht, ihr Haar in Locken, während sie in der russischen Zone die gleiche Mühe aufgewandt hätten, so unauffällig wie möglich auszusehen. Ich wäre fast auf sie zugegangen und hätte sie gewarnt: Ihre sichtbar am Arm getragenen Uhren hätte ihnen ja jeder rauben können! Im Hintergrund Männer und Frauen, ärmlich gekleidet, die Gesichter müde und grau, beim Schuttaufräumen in den Ruinen; alle Farbe vereinigten die vergnügten jungen Dinger auf sich. Eines fernen Tages nach ihren Erinnerungen an das Ende dieses Jahres 1945 befragt, würde ihre Antwort nicht lauten: »Ich hatte kaum was zu futtern«, sondern: »Ich war achtzehn, und das Leben lag vor mir.« In den Mienen der älteren Menschen spiegelte sich hoffnungslose Erschöpfung. Träume, die sie vom täglichen Existenzkampf hätten ablenken können, waren ihnen vergangen.

Erich Kästner

Notabene 45

Der 1899 in Dresden geborene Kästner kommt in den zwanziger Jahren in das pulsierende Berlin und arbeitet als Theaterkritiker und freier Journalist für verschiedene Publikationen, unter anderem für die linkspazifistische ›Weltbühne‹, die von Carl von Ossietzky herausgegeben wird. In Berlin erlebt er die Welt als »Kino« oder »Drehbühne« und charakterisiert sich selbst als »Zuschauer im Welttheater«. Mit ›Emil und die Detektive‹ (1929), ›Pünktchen und Anton‹ (1931) und ›Das fliegende Klassenzimmer‹ (1933) schreibt sich Kästner in die Herzen der Großstädter. Erich Kästner, promovierter Germanist, gilt in seiner Zeit als Kenner der Hochkultur und ist zugleich ein Verfechter der Unterhaltungsliteratur. Er schreibt Romane und verfaßt Epigramme, ist Journalist und Lyriker, Lieferant für Kabarettnummern und Drehbuchautor für Kinofilme, Redner und Selbstdarsteller. Er ist der geborene Provinzler und der überzeugte Großstädter, der Beobachter des »lasterhaften Berlin« und der Anwalt der kleinen Leute.

Weil Kästner sich in seinen Gedichtbänden ›Herz auf Taille‹, ›Ein Mann gibt Auskunft‹ und ›Gesang zwischen den Stühlen‹ sowie in seinem satirischen Roman ›Fabian‹ mit treffsicherem Witz gegen Spießertum, Militarismus und Faschismus gewandt hat, lodern seine Bücher am 10. Mai 1933 auf den Scheiterhaufen der NS-Bücherverbrennung. Obwohl er immer wieder verhaftet wird, emigriert Kästner nicht ins Ausland. Seit 1933 mit Publikationsverbot in Deutschland belegt, darf er ab 1942 weder in Deutschland noch für das Ausland schreiben und veröffentlichen, doch arbeitet er unter Pseudonym weiter, unter anderem fertigt er das Drehbuch zu der aufwendigen Ufa-Produktion ›Münchhausen‹. Nach dem Krieg wird Kästner Redakteur der ›Neuen Zeitung‹ in München und veröffentlicht in der Bundesrepublik weitere Bücher, so das erfolgreiche ›Das doppelte Lottchen‹. Von 1951 bis 1962 ist er Präsident des westdeutschen

PEN-Zentrums. Kästner, der zahlreiche Preise verliehen bekommt – so 1957 den bedeutendsten Literaturpreis der Bundesrepublik, den Georg-Büchner-Preis –, stirbt 1974.

Mayrhofen, 1. Mai 1945

1. Mai und dicker Schnee! Als habe über Nacht ein leiser Riese die Wiesenhänge und die schlafenden Blumen in den Gärten mit weißen Plusterbetten zugedeckt. Und auf den verschneiten Straßen und Wegen stehen die Leute herum und erzählen einander, Hitler liege im Sterben. Die Apfelblüten lugen aus dem Schnee wie Erdbeeren aus der Schlagsahne. Außer ihrem hingetupften Rosarot erinnert nichts mehr an die bunte Frühlingswelt von gestern. Der Winter, der große Meister der Graphik, stellt noch einmal seine herben Schwarzweißlandschaften aus, nur für ein paar Tage, auf der Durchreise nach dem Norden. Dann wird wieder umgehängt. Dann können wir uns doppelt an den Aquarellen der Kollektion Lenz erfreuen.

Hitler, erzählt man also, liege im Sterben. Göring amüsiere sich, in einer Alpenvilla irgendwo, mit Kinderspielzeug und brabble vor sich hin. Himmler verhandle erneut mit Bernadotte. Und in Oberitalien hätten sich hundertzwanzigtausend Mann ergeben. Sonst? Die Amerikaner haben, anscheinend ohne Kampf, München besetzt, und ihre schnellen Verbände stehen schon bei Mittenwald. Daß sie, in der anderen Stoßrichtung, Innsbruck erreicht hätten, wurde vorhin in einer Rundfunkdurchsage heftig bestritten. Sie seien erst in Bregenz. Wer gegenteilige Behauptungen verbreite, schade nicht nur der Heimat, sondern auch sich selber.

Gestern wurden die Lebensmittelkarten für den Monat Mai verteilt. Und heute gibt es schon keine Lebensmittel mehr, kein Brot, keine Butter, keine Teigwaren. Die Läden sind leer. »Die Preußen haben die Geschäfte gestürmt«, behaupten die erbitterten Bauern. Aber nicht wir haben die neuen Marken auf einen Schlag in Ware umgesetzt, sondern die Flüchtlinge aus Wien. Die Geschäftsleute hatten keine Handhabe, den panischen Ausverkauf zu verhindern. Es war eine legale Plünderung. Sie mußten am ersten Tag alles hergeben, was wochenlang reichen sollte. Da Brot die Angewohnheit hat, altbacken zu werden, wurde auch sehr viel Mehl gekauft. Und nun gibt es weder Brot noch Mehl. Die Bitte ›Unser täglich Brot gib uns heute!‹ wird sich, mindestens während der nächsten vier Wochen, auch für fromme Leute kaum erfüllen lassen, sie seien denn Müller oder Bäcker.

Auch wir sind, wenn man es wortwörtlich nimmt, brotlos. Butter und Käse lassen sich immer einmal wieder für teures Geld beschaffen, und ich habe noch Geld. Wie lange es reichen wird, steht auf einem anderen Blatt. Das hängt von der Entwicklung der Preise und der Weltgeschichte ab. Wenn die Kühe im Zillertal außer Milch auch Mehl gäben, wäre auch die Brotbeschaffung nichts mehr und nichts weniger als eine Geldfrage. Doch die Kühe sind eigensinnig. Und weil hier oben kein Getreide wächst, ist Brot teurer als Geld. Da muß man schon mit solideren Werten winken als mit Reichsmarkscheinen. Zum Exempel mit geräuchertem Speck. Deshalb habe ich vorhin, wehen Herzens, mit dem alten finnischen Dolch etwa ein halbes Pfund Speck von der eisernen Ration heruntergesäbelt und bei einer Frau aus Wien, die heute morgen zuviel Brot gehamstert hat, in ein Zweipfundbrot umgewechselt. Damit ist die ›Ernährungslage‹ bis morgen früh gesichert.

Die Geschichte des Specks in unseren Rucksäcken erinnert entfernt an das Märchen vom Hans im Glück, nur daß wir mehr Glück hatten als jener unverwüstlich zufriedene Hans. Es begann mit einem bildhübschen und nagelneuen Akkordeon aus Markneukirchen. Der Zufall spielte es Lotte, vor anderthalb Jahren in Berlin, für eine erschwingliche Summe in die Hände, und sie schenkte es mir, weil sie dachte, ein verbotener Schriftsteller könne sich damit die Zeit und die Melancholie vertreiben, als sei er David mit der Harfe und König Saul in Personalunion. Daraus wurde nichts. Ich wußte mit dem Instrument nichts Aufheiterndes anzufangen. Ich war zu ungeschickt.

Deshalb schenkte es Lotte alten Bekannten in Württemberg, die ein konfirmationsreifes Töchterchen hatten sowie einen Landgasthof mit Hausmetzgerei. Der Dank blieb nicht aus. Die hocherfreuten Eltern zeigten sich, in einem dicken Brief, mit Fleischmarken erkenntlich. Es waren Reisemarken in Kleinabschnitten für Schwerarbeiter zum Bezug von Speck und Schinken. Es waren Marken für zirka fünfzehn Pfund

Speck! Wir trauten unseren Augen nicht. Doch der ersten Überraschung folgte die zweite: Die Marken waren nicht fabrikneu. Sie waren von anderen Schwerarbeitern vor uns bereits verwendet und von der braven Metzgersgattin in Schwaben, zur Ablieferung beim Lebensmittelamt, fein säuberlich und haltbar auf hierfür bestimmte Formblätter geklebt worden!

Was war zu tun? Wir benahmen uns wie leidenschaftliche Sammler, die seltene Briefmarken von Kuverts ablösen. Wir arbeiteten mit Wasserdampf, Pinzetten und Löschpapier und hatten, dank unserer Akribie, keine nennenswerten Verluste zu beklagen. Die ›neuen‹ Reisemarken hatten einen einzigen Fehler: Sie waren überm Dampf recht blaß geworden. Fast so blaß wie wir, wenn wir in den nächsten Tagen unsere Marken auf die Ladentafeln legten. Wir kauften kleinweise und in einem guten Dutzend Charlottenburger Fleischereien, damit der Überfluß nicht auffalle, und manchmal ging es glatt.

Mitunter aber wurden die farbmüden Speckmarken und wir selber, als Schwerarbeiter nicht sonderlich überzeugend, recht mißtrauisch gemustert. Das waren bange Sekunden, und wir hielten uns eher für Schwerverbrecher als für Schwerarbeiter auf Reisen. So mancher Fleischer und so manche Fleischersgattin durchschauten den Schwindel, denn sie schwindelten ja auch, nur in größerem Stil und ohne blaß zu werden! Es kam zu keinem Eklat. Wir kamen zu unserem Speck. Und heute sogar zu einem Zweipfundbrot.

Mayrhofen, 2. Mai 1945

Hitler liegt, nach neuester Version, nicht im Sterben, sondern ist ›in Berlin gefallen‹! Da man auf vielerlei Art sterben, aber nur fallen kann, wenn man kämpft, will man also zum Ausdruck bringen, daß er gekämpft hat. Das ist nicht wahrscheinlich. Ich kann mir die entsprechende Szene nicht vorstellen. Er hätte dabei mit Ärgerem rechnen müssen, mit der Gefangennahme, und dieses Spektakel konnte er nicht wollen. Ergo: Er ist nicht ›gefallen‹.

Zu seinem Nachfolger hat er den Großadmiral Dönitz bestimmt, der sich in Norddeutschland aufhält. Er hat ihn als ›Staatsoberhaupt‹ bezeichnet. Das ist, wie der Mann selber, eine Verlegenheitslösung. Das parteihörige Militär soll die Kapitulation unterzeichnen. Es ist die Quittung. Das ›Staatsoberhaupt‹ hat sich auch schon geäußert: Es will die bolschewistische Flut zurückschlagen, aber gegen die restlichen Alliierten nur fechten, wenn diese es nicht anders wollen. Der Mann an der Drehorgel hat gewechselt. Er spielt das alte Lied. ›Heil Dönitz!‹ sagen die Leute zum Spaß, wenn sie einander begegnen. Es, das neue Staatsoberhaupt, erwartet von den Truppen, daß sie ihren dem Führer geschworenen Eid prolongieren und auch dem designierten Nachfolger halten werden. Das wird, mangels Masse, schwer halten. Allein seit der Invasion sind im Westen drei Millionen Mann und hundertfünfzig Generäle gefangengenommen worden. Dem fliehenden und umherirrenden Rest steht die Gefangennahme unmittelbar bevor. Der Eid wird einsam.

Hofer, der Gauleiter von Tirol, hat den Befehl, die Brücken zu sprengen, annulliert und hofft, daß Innsbruck ›ritterlich‹ behandelt werde. Er selber wolle sich in die Berge zurückziehen. Himmlers Verhandlungen mit Bernadotte sind, bis zum Eintreffen neuer Instruktionen für den Grafen, wieder unterbrochen worden. Generaloberst Guderian, der Chef des Stabes, hat nicht weit von hier, in Fügen, Quartier bezogen und läßt Leitungskabel legen. Am 7. März erklärte er vor ausländischen Journalisten, daß man daran arbeite, im Osten wieder zum Angriff überzugehen. Jetzt spinnt er wohl im Zillertal am Kabelnetz für seine Offensive. Ein unermüdlicher Arbeiter!

Der Schnee, der heute früh noch dicker und dichter als gestern lag, taut und sinkt zentimeterweise in sich zusammen. Schon stecken die Mehlprimeln und der Löwenzahn ihre Köpfe unter der weißen Daunendecke hervor. Und Mussolinis Leiche liegt oder hängt noch immer auf dem Platz in Mailand.

Die gemischte Runde in Steiners Wohnstube hat sich um zwei Unteroffiziere vermehrt. Sie heißen Willi und Alfred, stammen aus Riesa und Pritzwalk und besitzen einen Lastkraftwagen, der ihnen nicht gehört. Das mit Benzin und hundert anderen nützlichen Dingen vollbeladene Fahrzeug, mit dessen Hilfe sie in Norditalien ihre Trainkolonne aus den Augen verloren haben, zählte bis dahin zum sogenannten Heeresgut. Nun steht der Wagen, ein paar Steinwürfe entfernt und mit Tarnplanen bedeckt, im Gebüsch. Willi und Alfred sind zwei alte, ausgekochte

Transportkrieger, zwischen sämtlichen Fronten und Etappen zu Hause, und haben sich entschlossen, die nächste Zeit im schönen Mayrhofen zu verbringen.

Es begann damit, daß sie sich, an einer Kreuzung bremsend, bei einer Flüchtlingsfrau und deren Tochter nach dem Weg erkundigten. Da sie sich für die Auskunft mit einer Handvoll Zwiebeln bedankten, lud man sie zum Verweilen ein, und das war ja, was sie wollten. Ihr Lastwagen ist eine Wundertüte auf Rädern, und die beiden Mannsbilder sind ganz und gar nicht geizig. Sie haben, wie man in Sachsen sagt, die Spendierhosen an. Außerdem wissen sie zu erzählen.

Auch heute, während wir am Radio auf exaktere Nachrichten über Hitlers Tod warteten, erzählten sie mancherlei. Von mit dem Roten Kreuz gekennzeichneten Lazarettschiffen und Lazarettzügen, die, entgegen der Genfer Konvention, bombardiert wurden, weil sie, entgegen der Genfer Konvention, mit Gasmunition beladen waren. Von der SS, die den über den Po zurückweichenden, zum Teil den Fluß durchschwimmenden Truppen am nördlichen Ufer die Waffen abnahm und die Landser zur Schanzarbeit abtransportierte. Von den Judenerschießungen in Rußland und Polen, vor allem von den schönen Mädchen und jungen Müttern, denen man überhaupt nicht angesehen habe, daß sie Jüdinnen gewesen seien. Und davon, daß sie, Willi und Alfred, die Genickschüsse und das Durchsieben der in den Gruben liegenden Halbtoten und Ganztoten mit Serien aus den Maschinenpistolen als Augenzeugen und Ohrenzeugen miterlebt hätten. Gelegentlich sei der eine und andere der Schützen ›an Ort und Stelle‹ wahnsinnig geworden.

Als Lotte in Berlin ihre Habseligkeiten für Mayrhofen packte, stopfte sie auch mehrere Gebund dunkelblauer Strickwolle in den Rucksack, wobei sie dachte: ›Man kann nie wissen.‹ Nun weiß sie es. Sie strickt für eine kleine Kellnerin Wadenstrümpfe. Dabei muß Lotte gut achtgeben, denn die Auftraggeberin hat sich ein Zopfmuster gewünscht. Und die Auftraggeberin muß gut achtgeben, denn Lotte hat sich, für die zopfgemusterten Wadenstrümpfe aus bester deutscher Zellwolle, Brot gewünscht. Brot Nummer Eins wurde uns im dunklen Flur des Gasthofs bereits ausgehändigt. Die kleine Kellnerin brachte es unter der Schürze. Wir essen, offensichtlich, heimlich gestohlenes Brot. Wir essen es ohne

Gewissensbisse. Und auch die kleine Kellnerin leidet keine unerträglichen Seelenqualen. Der Wirt, den sie schädigt, ohne daß er es bemerkt, ist ihr Onkel.

Mayrhofen, 3. Mai 1945

Das alliierte Hauptquartier teilt mit, Himmler habe dem Grafen Bernadotte am 24. April, also vor zehn Tagen, berichtet, Hitler leide an Gehirnblutungen und mit seinem Ableben sei in den nächsten achtundvierzig Stunden fest zu rechnen. Viele schenken der Meldung keinen Glauben. Ihnen gefällt die Version, daß er vorm Feind gefallen sei, bei weitem besser. Sie entspricht ihrem Wunsch.

Sie halten einen solchen Heldentod für eine Heldentat. Andere Parteigenossen passen sich geschwinder an, beispielsweise Herr Pf., einer von Steiners Nachbarn. Vor wenigen Tagen beschimpfte er die Viktl, weil sie ihre gefallenen Brüder beweine. Gestern hat er sein Parteiabzeichen, das Führerbild und belastende Dokumente beseitigt. Er kann es noch weit bringen. Solche Leute werden gebraucht. Sie sind immer die ersten.

Fritz Kortner

Zwischen Emigration und Heimkehr

Der 1892 in Wien als Fritz Nathan Kohn geborene Kortner beginnt 1908 ein Studium an der Wiener Akademie für Musik und Darstellende Kunst, das er zwei Jahre später abschließt. 1919 kommt er nach Berlin an das Deutsche Theater zu Max Reinhardt, mit dem er sich bald überwirft. Kortner nimmt ein Engagement am Berliner Staatstheater an und steht dort bis 1933 auf der Bühne. Zu seinen erfolgreichsten Rollen jener Ära gehören »Richard III.«, »Othello« sowie der Sekretär »Wurm« in Schillers ›Kabale und Liebe‹. Kortner gilt als sprachberauschter Schauspieler, der mit berserkerhafter Gestik und klarem Intellekt Scheusale ebenso überzeugend verkörpert wie Idealisten, Sünder, Dämonen oder Verlierer, zunächst vor allem fürs Theater, doch schon in der Stummfilmzeit übernimmt Kortner auch Rollen für die Leinwand.

Nach der Machtübernahme Hitlers emigriert der rassisch verfolgte Kortner nach Österreich, später nach Dänemark und Großbritannien, bis er schließlich 1938 in den USA landet. Obwohl er die amerikanische Staatsbürgerschaft erwirbt, kehrt er 1949 nach Deutschland zurück, wo er fast ausschließlich als Regisseur tätig wird. Bis zu seinem Tod im Jahre 1970 inszeniert er an den renommiertesten Bühnen des Landes, ist gleichzeitig Film- und auch Fernsehregisseur. Seine Arbeiten an deutschen Bühnen, die Theatergeschichte schreiben, prägen viele nachfolgende große Regisseure wie Peter Stein oder Peter Zadek.

Fritz Kortner wird mit zahlreichen Preisen geehrt, so erhält er 1957 das »Große Verdienstkreuz der Bundesrepublik Deutschland« und 1966 das »Filmband in Gold«. 1967 wird er mit der »Kainz-Medaille« geehrt, und kurz vor seinem Tod 1970 bekommt er den Bundesfilmpreis.

In jenes von Hitler befreite Deutschland wollte ich zurückkehren. Ich sah keinen Widerspruch darin, daß ich es als amerikanischer Staatsbürger tun wollte. Ich hatte in Deutschland auch vor Hitler als Ausländer, nämlich als Österreicher, gelebt. Und Österreicher blieb ich bis zu dem sonderbaren, merkwürdig eindrucksstarken Tage, an dem ich Amerikaner wurde. Da ich nie die deutsche Staatsbürgerschaft erworben hatte, war ich auch nicht, wie meine deutschen Emigranten-Freunde, ausgebürgert worden. – Eigentlich hätte die österreichische Nazipartei – dieser mächtige, einflußreiche Bestandteil des Hitlersystems – für meine Ausbürgerung sorgen müssen. Aber nein! Meine Heimat, die mich keiner Aufmerksamkeit und keiner Beachtung würdig findet, brachte mich, als sie von den österreichischen Nazis beherrscht war, um diese Ehrung. Wenn ich also so lange in Deutschland als österreichischer Schauspieler beglückend intensiv am deutschen Theaterleben hatte teilnehmen dürfen, warum sollte das nicht als USA-Bürger ebenso möglich sein?

Meine Rückkehrabsicht stieß auf die Verdammung der vielen Ankläger gegen Deutschland. Jener erbarmungslos gewordenen Getretenen, Geflohenen, um Vergaste und Ermordete grimmig Trauernden. Meine anders geartete Einstellung zu Deutschland beruhte, von meinem Wunschtraum abgesehen, auf der Erkenntnis, daß jedes Volk unter gewissen sozialen und historisch bestimmten Umständen gleichfalls so entarten könne und ähnlich bestialisch handeln würde. Länder und Völker, auf die ich in meinem Plädoyer hinwies, lieferten für diese Behauptung reichliches Beweismaterial. Aus ihrer Vergangenheit, wenn nicht gar aus ihrer Gegenwart oder auch aus den sich schon abzeichnenden Zügen ihrer blutigen Zukunft.

Ich war und bin überzeugt davon, daß es keine deutsche Kollektivschuld gibt, jedoch eine Kollektivschuld der machthabenden Kreise in Deutschland, England, Frankreich und Amerika durch die fast komplicenhafte Duldung des hitlerischen Aufstiegs, seiner Machtergreifung und seiner Raubzüge. Diesem Komplicentum wurde in Amerika durch Roosevelt und in England durch Churchill ein Ende bereitet. Als die Hitlerarmee Sowjetrußland angriff, akzeptierte Churchill, der Erzfeind des Marxismus, die historische Realität eines kommunistischen Bundesgenossen.

Roosevelts Umstellung auf diese Gegebenheiten wirkte weniger sensationell, da er, als erster Präsident der USA, die Sowjetunion bereits anerkannt hatte.

Ich, der ich die Verarmung und Verelendung Österreichs und Deutschlands während des Ersten Weltkrieges mitgemacht hatte, sah nun mit staunendem Amüsement die Beschränkungen, die der amerikanischen Bevölkerung auferlegt wurden: die Auto-Industrie, da kriegsbeschädigt, lieferte eine Zeitlang keine neuen Automodelle. Der Amerikaner fuhr das für ihn längst verjährte Modell des vorigen Jahres. Benzin, Reifen waren zwar rationiert, aber in Hülle und Fülle vorhanden und unschwer erhältlich. Eine wirkliche Einschränkung der Lebensmittel gab es nicht. Eine Rationierung der Butter wurde angeordnet und nicht ernst genommen. Daß aus Gründen der Stoffersparnis Pyjamas keine Kragen und die Herrenbeinkleider keine Umschläge haben durften, war eine mit Würde getragene Kriegslast. Die Damenmode blieb von solcher Bedrückung verschont. Tennisplätze und Swimmingpools durften nachts nicht mehr durch Scheinwerfer beleuchtet werden. Auch diese Drangsalierung nahmen die Besitzer von Tennisplätzen und Swimmingpools mit Anstand hin. Die Gesamtbevölkerung war von der Verordnung betroffen, daß nicht mehr, wie vor dem Krieg, der Laib Brot bereits zu dünnen Scheiben zerschnitten und luftdicht verpackt werden durfte. Der kriegsgeplagte amerikanische Zivilist mußte nun das üppig vorhandene Brot selber schneiden. Die Zahl der Verwundeten und Gefallenen blieb lange unverhältnismäßig klein – verglichen mit den schaurigen Verlusten der anderen Kriegführenden. Amerika, obwohl schon aktiv am Kriege teilnehmend, blieb anfangs vorwiegend der Finanzier und Waffenlieferant seiner Bundesgenossen, denen sich auch Sowjetrußland und das schon damals halb kommunistische China beigesellt hatten. Die Emigranten lebten unbehelligt und so gut wie in völliger Gleichberechtigung mit der amerikanischen Umwelt. Die aus Deutschland Stammenden durften während des ersten Kriegsjahres abends nicht ausgehen. Dieses Verbot wurde bald nicht eingehalten und nie kontrolliert.

In Hollywood, wo sich das Gros der Schriftsteller- und Schauspieler-Emigranten aufhielt, fanden wir Betätigung. Nicht nach Verdienst und Können. Es war eher eine roulettetischhafte Verteilung des Berufsglücks. Für das Vorwärtskommen im amerikanischen Film war die gesellschaftliche Eignung zunächst ausschlaggebender als Begabung. Tennis- und Kartenspieler oder sonst unterhaltsame Partygäste waren die Privilegierten. Das gesellschaftliche Leben in Hollywood spielte sich kastenartig ab. In der Regel verkehrten nur Gleichhochbezahlte miteinander. Jemand, der tausend Dollar Wochenlohn hatte, war von den Gesellschaftsabenden derer, die höhere Bezüge hatten, so gut wie ausgeschlossen. Die Höchstbezahlten bildeten eine exklusive Geldaristokratie. »Reich und reich gesellt sich gern«, meinte Brecht. Ein Aufstieg in das gesellschaftliche Leben der nächsthöheren Gehaltsgruppe wurde durch Erfolg und die damit verbundene Gehaltserhöhung möglich. Umgekehrt folgte dem Mißerfolg der Ausschluß auf dem Fuß. Entlassung und längere Engagementlosigkeit machten einen zum Paria. (...)

Zwei Jahre hatte ich warten müssen, bis ich die Erlaubnis bekam, nach dem ausgebombten, ausgehungerten Deutschland zurückzukehren.

Was ich in Hollywood beruflich zu leisten Gelegenheit hatte, war so wenig bemerkenswert, daß ich darüber zu erzählen gern versäume. Finanziell war Hollywood nicht unergiebig gewesen. Ich konnte Hannas Wunsch erfüllen und uns ein nettes Haus kaufen, das wir langsam mit schönen alten Möbeln einrichteten. Hanna konnte sich schwer von dem Bungalow trennen, an dem sie hing. Auch sie wollte zurück.

Ich sollte vorfahren, und erst, wenn ich in Europa zu bleiben entschlossen war, würde sie das Häuschen verkaufen. Meine Tochter würde besuchsweise mitkommen. Mein Sohn aber wollte drüben bleiben. Die Unbeirrbarkeit seines Entschlusses tat wohl und weh.

Ich rüstete mich zur Reise. Die Emigranten standen kopf. Ich verkrachte mich noch schnell mit manchen der unversöhnlichen Hasser.

Sie fanden dann später den Weg ins deutsche Wirtschaftswunderland und kamen besser damit zurecht als ich, der ich mit soviel Erwartung gekommen war.

Hier in Israel nahm ich mich in ein Verhör, um festzustellen, wie ich nun nach über zehn westdeutschen Jahren zu diesem vierten Deutschen Reich stehe, das so viele Züge der ihm vorangegangenen aufweist.

Die ermutigenden und die abschreckenden Erlebnisse halten sich die Waage. Kaum hatten die am Boden liegenden, halb verhungerten Deutschen die Besinnung wieder erlangt, befanden sie sich in einem Schlaraffenland, wurden wie Hänsel und Gretel überfüttert und – wiederbewaffnet. Aber der Militarismus will nicht ins Kraut schießen. Nur langsam gedeiht er in einer übersatten Bevölkerung, deren Hauptsorge es ist, den Zustand des Genießens zu erhalten. Nicht daran rühren ist die Devise! Nur keine Veränderung! Weder zum Guten noch zum Bösen! Die politische Ruhe aber ist eher Stagnation als Ausgeglichenheit. Das maßlose Leben und das bedingte Lebenlassen beruhen auf dem Wirtschaftswunder. Seine Gesichertheit ist die Lebensgarantie der in diesem Lande immer noch gefährdeten Minorität, der ich angehöre. (...)

Das sich nun schon oft wiederholende jährliche nach Belsen Pilgern von Tausenden von jungen Leuten zur Erinnerungsstätte der Anne Frank bedeutet eine große Ermutigung. Das das Schicksal des Mädchens schildernde Theaterstück bietet zwei Stunden stummer Einkehr.

Das unbewußte Unbehagen, meinesgleichen an irgendeiner Berufsspitze zu sehen, ist trotz aller öffentlichen Zustimmung immer fühlbar. Der auf mich entfallende Arbeitsertrag ist beträchtlich. Der Erfolg, der mir gerade in den letzten drei Jahren zuteil wurde, war groß, und doch erscheint er meinem Neo-Verfolgungswahn gefährdet. (...)

Wir sind zurück, in unserer Wohnung. Sie liegt in einem der neuen Häuser des wiederaufgebauten München.

Die Zertrümmerung der deutschen Städte schmerzte wie die Siege Hitlers. Unter diesem Widerstreit hatte ich gestöhnt, bis Hitler krepiert war. »Der Hund ist tot«, sagt Richmond beim Tod Richards III. Die Nachricht hörte ich in Los Angeles am Radio in meinem Auto. Ich weiß nicht mehr, wie mein Wagen mitten im Verkehr zum Stehen gekommen war. Ich wurde von einem Verkehrspolizisten schroff zum Weiterfahren aufgefordert. Bald darauf mußte ich parken: ich war knieweich geworden. Nach zwei nicht ganz realen Jahren flog ich nach New York, von dort nach Antwerpen, dann nach Zürich, und schließlich fuhr ich mit einem amerikanischen Militärzug nach Berlin. In all den Städten fand ich Telegramme meiner Frau vor, die mich beschwor, einen inzwischen eingegangenen Antrag, eine große Rolle in New York zu spielen, anzunehmen, zurückzukommen und meine Heimkehr nach Deutschland zu verschieben. Ich flog und fuhr stur unaufhaltbar weiter. Als ich bei der Gepäckaufgabe das Ziel der Reise angeben mußte, krümmte ich mich buchstäblich vor Erregung. Schließlich kam ich auf einem Vorort-Stadt-Bahnhof im Überbleibsel von Berlin an.

Ich ging, mit Blei in den Füßen, durch die Schuttstadt, wurde vielfach erkannt und bestaunt. Daß einer freiwillig in diese Hungerhölle gekommen war, erregte Kopfschütteln.

Als ich zum erstenmal ins Theater ging – es war das Kurfürstendamm-Theater –, begrüßte mich das Publikum mit Applaus. Wahrscheinlich aus Dankbarkeit für den Trost, der für die Menschen darin lag, daß einer zurückgekommen war, um mit ihnen zu leben. Mir wurden die Augen feucht. Die Vorstellung, die ich bis zum Ende über mich ergehen lassen mußte, war unfaßbar scheußlich. Ich blieb aus Artigkeit sitzen. Eigentlich wollte ich kurz nach Aufgehen des Vorhangs weglaufen, bis nach Amerika zurück. Eine dummdreiste Schmiere, ein verwilderter Humor, eine menschenfremde Bühnenlustigkeit beleidigten Augen, Ohren, Herz und Hirn. Über der heruntergekommenen, liederlichen, verluderten, besorgniserregenden Komik verging mir noch Tage danach das Lachen. Viel zu Lachen gab's auch sonst nicht. Die Begegnungen mit alten Bekannten waren unfrei. Selbst das Wiedersehen mit Erich Engel, zu dem ich mich schließlich durchgefragt hatte, war beklommen, und die Gesprächsthemen stellten sich nur langsam ein.

Ich hatte, als ich von Amerika wegfuhr, systematisch und wohl auch durch die Aufregung ziemlich an Gewicht verloren. Ich, der ich zur Fülle neige, war in meiner schlanksten Form. Hier in Berlin erschien ich mir falstaffisch dick und fett. Ich ahnte und merkte, daß meine Fülle, die es nur in der Relation zu den für die Eroberer beschämend abgemagerten Berlinern gab, provokativ wirken mußte. Ich war auch viel zu gut angezogen. Auch nur relativ. Alles das behelligte mich. Ich sah mich mit den Augen der Betrachter: ein herausgefressener Amerikaner, der keine Ahnung von den durchgestandenen Höllenqualen haben kann. Ich bemerkte, und zunächst schien es mir unverständlich, daß das meinesgleichen Zugefügte im Bewußtsein der Mehrzahl derer, denen ich begegnete, keine Rolle spielte. Erwähnte ich – in einem Verteidigungsversuch, denn die Rolle des schicksalsverwöhnten Juden lag mir nicht –, daß allein meiner Familie elf Verwandte vergast worden waren, so war die Reaktion darauf kondolenzartig höflich. Ich kämpfte um die Anerkennung meiner Gleichberechtigung am Unglück, am erlittenen Elend. Ich wollte ausdrücken: Wir, die wir da miteinander verlegen herumstottern und mit unserem jeweils erlittenen Elend gewissermaßen wetteifern, wären doch – ob Arier oder Jude – jetzt wieder Christ *und* Jude, Überlebende ein und derselben Katastrophe. Und unser Überleben wäre etwas gemeinsam Erlebtes, wie auch das Erlittene. Ich schien mit dieser Argumentation nicht viel Glück zu haben. Die meisten verharrten im Gefühl, kein Leid reiche an ihres heran. Wahrscheinlich brauchten sie das Bewußtsein des am schwersten erlittenen Unrechts zur Beruhigung des Unterbewußtseins.

Karl Jaspers

Von Heidelberg nach Basel

Der 1883 geborene Karl Jaspers studiert zunächst Jura, dann Medizin, bevor er sich während seiner Assistentenzeit an der Psychiatrischen Klinik in Heidelberg in Psychologie habilitiert. 1916 wird er Professor für Psychologie in Heidelberg, 1921 ebenda Professor für Philosophie. Sein wissenschaftlicher Durchbruch als Philosoph gelingt ihm mit ›Psychologie der Weltanschauungen‹, das 1921 erscheint und eines der Hauptwerke seiner Existenzphilosophie wird, deren Grundsätze er in dem dreibändigen Werk ›Philosophie‹ 1932 darlegt. Nach der Machtübernahme durch die Nazis wird Jaspers zunächst von der Universitätsverwaltung ausgeschlossen und 1937 zwangsweise in den Ruhestand versetzt. Zusammen mit seiner jüdischen Ehefrau zieht sich Jaspers ins Privatleben zurück, ab 1943 erhält er Publikationsverbot. Von den Amerikanern in seine alte Stellung eingesetzt, versucht Jaspers, die Universität Heidelberg geistig wie moralisch wieder aufzubauen. Er wird Mitbegründer der Zeitschrift ›Die Wandlung‹ und setzt sich in seiner 1946 veröffentlichten Studie ›Die Schuldfrage‹ mit Schuld und Verantwortung für die NS-Verbrechen auseinander.

Auch nach seiner Übersiedlung in die Schweiz sieht Jaspers sich verpflichtet, als Philosoph zu politischen Problemen der Zeit Stellung zu nehmen. Anläßlich der Bundestagsdebatten über die Frage, ob Mordtaten aus der NS-Zeit verjähren sollen, mischt sich Jaspers mit der streitbaren Schrift ›Wohin treibt die Bundesrepublik?‹ erneut in die Politik ein, erweitert das Thema jedoch zu einer grundsätzlichen Kritik an den politischen Zuständen in Westdeutschland. Das Buch, das 1966 erscheint, löst eine leidenschaftliche Debatte aus und wird rasch zum Bestseller. Karl Jaspers stirbt 1969 in Basel.

(...) Den deutschen Zustand überhaupt, wie er damals nicht nur in Heidelberg, sondern in ganz Deutschland aussah, schildere ich an Beispielen.

Im Jahre 1946 veröffentlichte ich meine »Schuldfrage«. Der amerikanische Universitätsoffizier sagte mir dankend, die Schrift sei nicht nur für die Deutschen geschrieben, sondern auch für das Gewissen der Alliierten. Bei uns erfuhr die Schrift – deren Absatz gering war – Ablehnung (auch bei meinen Heidelberger Kollegen), manchmal Schmähungen. Nur hier und da kam ein zustimmender Brief, der manchmal mit dem Satz endete, hier am Ort aber sei ich der einzige, der so denke. Die materielle Not war damals drückend. Ich begriff, daß in dieser Lage solche Erörterungen noch nicht interessieren konnten. Aber es blieb so auch später, und bis heute ist diese Schrift nur sehr wenig zur Kenntnis genommen worden.

So viele klagende, jammernde, nach Unterkommen suchende Akademiker kamen zu mir. Fast alles war persönliches, privates Leid, oft genug schreckliches. Das Suchen nach Hilfe war berechtigt. Wir hatten kaum Mittel zu helfen. Aber in dieser Zeit nach den zwölf Jahren der Verbrechen in der durch eigene Verantwortung herbeigeführten Katastrophe trat doch fast nur der egoistische Daseinswille in Erscheinung, ohne Teilnahme an irgendeinem Willen zur Umkehr. Von den Nazi-Massenmorden an Juden wollte man nichts wissen oder interessierte sich nicht dafür. Was da grundsätzlich mit uns Deutschen durch uns geschehen war, kam nicht zum Bewußtsein. Man nahm nicht Abstand von dem totalen Verbrecherstaat, zu dem wir geworden waren.

Es war, als ob Stimmung und Charakter der Menschen sich überhaupt nicht geändert hätten. Sie wollten leben, aber sich nicht besinnen, sich nicht ändern, sich nicht für den Gang der Dinge, und was wir darin tun könnten, interessieren. Alle Nazis schoben die Schuld auf Hitler: »Wir sind mißbraucht worden.« Es gab selten eine Würde, aber hier und da geheime Wut und Bosheit. Das wurde mit den Jahren schlimmer.

Ich konnte der Menge der Besucher nicht Herr werden. Einen Teil empfing meine Frau. Sie war hin- und hergerissen durch Mitleid mit dem konkreten menschlichen Schicksal der einzelnen und der Enttäuschung durch Ausbleiben der erwarteten Impulse. Entglitt ihr einmal ein zorniges Wort, wenn das ihr dargelegte Unheil nicht allzu groß war: »Sie sind ja doch nicht vergast worden«, so war sie erst recht mit sich unzufrieden und quälte sich.

Weitere Enttäuschungen folgten: Unsere Zeitschrift »Die Wandlung« wurde schnell zu einem literarischen und informierenden Blatt, das schätzenswert war, aber von der Kraft zur Wandlung so gut wie nichts ausstrahlte. Ich habe selber Mitschuld. Denn meine Arbeitskraft reichte nicht für diese Zeitschrift. Ich hatte mich übernommen. Was aber ohne mich geschah, das ging nicht auf dem von mir erhofften Weg.

Die »Wandlung« war zwar eine gute Zeitschrift geworden, aber sie brachte keinen politischen Willen zur Geltung, sondern eher eine Literarisierung auch der Politik.

Der gemeinsame Schwung, der vielleicht schon im Anfang sich über sich selber täuschte, blieb jedenfalls bald aus. Im Augenblick der Gründung der Bundesrepublik und der Währungsreform war die Zeit, in der die ursprüngliche Intention der »Wandlung« ihren Sinn hätte haben können, abgelaufen. Die Zeitschrift ging ein. Sie war gegenstandslos geworden. (...)

Manche Vorgänge zeigten mir eine Feindseligkeit oder ein Mißtrauen der Regierung in Karlsruhe gegen mich. Am 10. 11. 1946 sprach ich über das Radio in Heidelberg über »Volk und Universität«. Dieser Vortrag wurde der Regierung als Titel bekannt. Der damalige Referent Thoma wandte sich an unseren Rektor von Campenhausen mit dem Ersuchen, mein Manuskript der Regierung vorzulegen. Der Rektor antwortete sofort (ohne mit mir über diese Selbstverständlichkeit auch nur ein Wort zu sprechen, er hat es mir erst später erzählt), er habe keinerlei Rechte in bezug auf die Veröffentlichungen der Kollegen. An der Universität herrsche Freiheit. Daher sei er außerstande, ihm das Manuskript zu verschaffen. Er möge sich an mich selber wenden. Thoma aber folgte seinem Rat nicht. Vielmehr wandte er sich an die Sendestelle mit der Bitte um das Manuskript. Diese Sendestelle hatte natürlich keine Ahnung, was dahintersteckte, und schickte leider das Manuskript an die Regierung, ohne mich, wie es sich gehört hätte, vorher zu fragen. Die Regierung fand keinen Punkt zum Einhaken. Aber ihr war meine Gesinnung unwillkommen. Schon allein, daß ich mich an das Volk wandte, war ihr bedenklich, wie später solchen Regierungsleuten in der Bundesrepublik, die im Mißtrauen gegen das Volk lebten.

Als ich beantragte, Dr. Rossmann als Assistenten am Philosophischen Seminar anzustellen, stieß ich auf passiven Widerstand. Ich sprach mit Professor Schnabel, der in Karlsruhe zu entscheiden hatte. Die Begegnung war unwirsch. Es erfolgte keine Anstellung in gehöriger Form, sondern eine Beauftragung mit minimalem Gehalt. Der damalige Zustand des Übergangs wurde von ihm ausgenutzt. Erst später nach meinem Weggang von Heidelberg ist Rossmann auf Antrag des Rektors angestellt worden. (...)

Von größtem Eindruck auf mich aber war eine Sitzung des Dreizehnerausschusses anfangs Januar 1948. In ihm waren meine Freunde versammelt. Der Ausschuß trat wegen jenes Angriffs in der »New York Times« zusammen, in dem die Heidelberger Universität als faschistisch angeprangert wurde. Wir hatten die Aufgabe, für die Universität eine öffentliche Antwort vorzubereiten oder in unserem eigenen Namen zu geben.

Ich führte im Januar 1948 aus: Für die Situation sei ein bloßes Dementi zu wenig und unwirksam. Wir müßten uns zeigen in dem, was wir wollten, welche Grundsätze uns trügen, was unsere Ziele seien. Nicht nur die Universität, sondern die künftige deutsche Politik, besonders soweit sie auch auf wissenschaftlicher Erkenntnis der Geschichte beruhe, sollten wir eindringlich, nicht nur für die »New York Times«, sondern für die deutsche Öffentlichkeit mitteilen. Ein Beispiel griff ich heraus: Obgleich bisher noch nicht davon die Rede gewesen sei, sei ich besorgt, daß man das kommende Jahr benutze, um die Paulskirche von 1848 zu feiern und uns auf den Liberalismus dieses Parlaments als das Fundament unserer künftigen Politik zu berufen. Das aber wäre ein Verhängnis. Denn damals sei die Politik begründet worden, die sagt: Erst die Einheit, dann die Freiheit. Dort sei der Ausgangspunkt für das, was Bismarck mit anderen Mitteln dann unter Zustimmung fast der gesamten liberalen Welt vollendete. Nicht hier liege der Ansatz für unsere Politik, sondern in der politischen Freiheit, die durch ein Jahrtausend Deutschlands immer wieder aufgetreten ist und immer wieder scheiterte, nur in Holland und in der Schweiz zur Dauer freier Staaten führte. Wenn wir jetzt eine falsche historische Erinnerungsgrundlage wählen, so verderben wir unsere Zukunft. Daß wir das wissen, muß heute die Welt von uns wissen. Der Historiker muß uns helfen, das richtig und überzeugend in knappen Linien darzustellen. Wir haben selber unseren Grund zu legen und dürfen diesen Akt nicht durch irreführende Grundlegung verhindern.

Mein alter Freund Alfred Weber antwortete in einer Rede, wie ich sie von ihm noch nie erlebt hatte, zornig, herabsetzend gegenüber meiner Person, über alle Maßen empört, als ob ich unsere deutsche Welt zerstören wollte. Ich mußte erkennen: hier geht es um ein Entweder-Oder in der Politik. Es trennte so tief, daß eine Diskussion nicht mehr möglich war, wenigstens nicht so lange diese Leidenschaft ihn verhinderte, auch nur zuzuhören. Alfred Weber zeigte sich als »nationaler Mann«, wie man das so harmlos nennt. Ich fühlte mich als freier Deutscher, dem es in dieser Situation der Katastrophe auf die Gründung eines innerlich freien politischen Lebens ankam. Mit ihm hatten wir unsere einzige Chance. Gar nicht konnten wir uns auf Bismarckstaat, Nationalstaat, Macht, auf all das, was wir unwiederbringlich verloren hatten, gründen.

Auf den Zorn konnte ich nicht mit Zorn erwidern. Ich war niedergeschlagen und schwieg. Kein einziges Mitglied des Ausschusses fand ein Wort für das, was ich gesagt hatte. Ein Philologe, der 1945/46 sehr kleinlaut gewesen war und sich jetzt schon wieder obenauf fühlte, kam beiläufig mit Verachtung auf das von mir Gesagte zu sprechen. Ich stand allein unter meinen Freunden, die wir uns zum Neubau der Universität zusammengefunden hatten. Fritz Ernst, der politisch Klügste in dem ganzen Kreis, sagte nach der Sitzung zu mir: »Sie haben ja weitgehend recht, aber es wäre sinnlos gewesen, wenn ich in dieser Stimmung dazu hätte sprechen wollen.« »Wie?« antwortete ich, »wir sollten nicht kämpfen?«

Beim Weggehen sagte Alfred Weber zu mir: »Sie werden nun deswegen doch nicht nach Basel gehen?« Ich antwortete ausweichend. Aber in meiner Verlassenheit hatte ich doch die Gewißheit: Das Deutsche, in dem ich lebe, aus dem ich komme, durch das ich wirke, hat einen weiteren Raum als diese Enge, als diese politisch nunmehr absurd gewordenen nationalen Fesselungen, die von dem zum Gespenst gewordenen Bismarckstaat ausgingen. Basel steht mir offen.

Was den Anlaß dieser Sitzung betrifft, den Artikel der »New York Times«, noch eine Bemerkung: Ich schrieb mit Zustimmung des Ausschusses an den Korrespondenten der »New York Times« in Berlin, erklärte die Mitteilungen für unrichtig und fragte nach der Quelle. Die Antwort war höflich und entschieden. Er bedauere es sehr, mir Ungelegenheiten bereitet zu haben. Seine Quelle sei jedoch völlig zuverlässig. Sie berichte aus nächster eigener Erfahrung. Er könne sie mir nach den journalistischen Gebräuchen natürlich nicht nennen. In der Tat mußte der Mann aus naher Anschauung Heidelberger Dinge geschrieben haben, aber nicht aus der Anschauung der Vorgänge in unserem Ausschuß. Er hatte andere Vorgänge an der Universität beobachtet, die sich im Dunkeln abspielten. Seine Gesinnung war gewiß nur gegen jenen Nationalismus gerichtet, der auch in dem schwachen und nicht eindeutigen Versuch des Ausschusses zur Geltung kam. Aber er konnte doch nicht verkennen, daß dieser Ausschuß völlig einmütig war in der Verwerfung jedes Faschismus und Totalitarismus. Er war verzweifelt und griff ein, nun als Zerstörer auch unserer Versuche. Seine Verzweiflung kann ich verstehen, nicht aber diese rein negative Aktivität aus dem Hinterhalt. Mit mir hatte er kein Wort gesprochen. Ich weiß bis heute nicht, wer es war, kann es nur vermuten. Aber: in den eigenen Reihen auch noch diese Perfidie! Übrigens ist eine Antwort an die »New York Times« von unserer Seite nie erfolgt. Was ich geschrieben zu sehen wünschte, hatte nicht den Beifall meiner Kollegen gefunden. (...)

Als der Ruf nach Basel bekannt wurde, traten die Aufforderungen, in Heidelberg zu bleiben, in mich erstaunender Dringlichkeit an mich heran. Als ich im Dezember von ihm zuerst an Fritz Ernst berichtete, dem Freunde, von dem ich ein nachdenkliches Verstehen und Prüfen erwartete, sah ich nur und einzig ein totales Erschrecken. »Ich muß sofort zum Rektor gehen!« rief er. »Aber was denken Sie denn! Ich habe Ihnen als persönlichem Freund berichtet. Bitte schweigen Sie vorläufig anderen gegenüber. Das Weitere ist zunächst meine Sache.« Im Auftrag des Stadtrats kam der Oberbürgermeister, mich zum Bleiben aufzufordern. Viele Kollegen und manche andere taten es. Noch zu meinem

66. Geburtstag am 23. Februar bekam ich vom Botanischen Garten die herrlichsten Kostbarkeiten geschenkt.

Der Rektor Kunkel forderte mit gutem Willen und pflichtgemäßer Dringlichkeit, aber ohne Kränkung und ohne jeden moralischen Druck, ich sei für Deutschland und Heidelberg unentbehrlich. Ich antwortete: Für Deutschland – wenn man einmal diesen anspruchsvollen Ausdruck wählte – würde ich besser wirken, es besser vertreten, den Deutschen bessere Werke und eine reinere Denkungsart zeigen, wenn ich nach Basel ginge. Von Emigration könne bei mir keine Rede sein. Ich bliebe im großen deutschen Raum, der kein politischer, sondern ein Sprach- und Kulturraum seit dem Mittelalter sei.

Merkwürdig ist mir noch heute die innere Kühle, mit der ich das alles hinnahm, immer höflich und dankend, aber mit dem Bewußtsein: Keiner denkt an meine Frau und an mich, und niemand spürt, was solche Entscheidungen bedeuten für ein Leben wie das meine; niemand denkt an die Philosophie, sondern alle nur an einen Namen, der eine öffentliche Puppe ist, die sie – auch darüber sich irrend – zu brauchen meinen. Meinerseits konnte ich in all diesem nur meine Verlassenheit sehen. (...)

Auch die Fakultät wandte sich durch den Dekan offiziell an mich zu bleiben. Ich erklärte mich bereit, der Fakultät Rede und Antwort zu stehen, mit der kleinen Hoffnung, hier doch vielleicht Verständnis und Billigung zu finden. Eine Fakultätssitzung fand statt. Ich bat um das Wohlwollen meiner Kollegen, wenn ich jetzt meine Lage darlege. Einst, in der ersten Zeit der Besatzung, habe Herr Ernst den fordernden Amerikanern in einer Sitzung gesagt: »Meine Herren, wenn Sie auf die Schiffe gehen, werden wir hier alle als Kollaborateure erhängt.« Das sei damals in der Realität nicht begründet gewesen, weil die Amerikaner blieben. Heute aber entstehe hier bei uns eine neue Wirklichkeit, der ich nach dem, was uns vom deutschen Volk und Staat angetan wurde, kein Vertrauen schenke. Die Gleichgültigkeit, mit der man dem Judenmassenmord und der Judenfrage überhaupt gegenüberstehe, bedrücke mich. Ich fühle mich mit meiner Frau hier auf die Dauer nicht sicher. Ich möchte Sicherheit, soweit dies möglich ist. Weiter möchte ich die Befreiung meiner Frau von dem ständigen Leid, das sie empfindet. Für eine

Jüdin sei es sehr schwer, hier zu leben. Und schließlich möchte ich Ruhe und Freiheit für meine Arbeit, die doch meine einzige objektive Verpflichtung sei, die ich gemeinsam mit den Kollegen anerkenne: Im Dienste der Wahrheit an der abendländischen, übernationalen Idee der Universität deutscher Sprache zu wirken.

Zunächst eisiges Schweigen. Ein Kollege (der Althistoriker Schaefer) verließ im Protest ohne ein Wort sogleich die Sitzung. Kein einziger äußerte eine Solidarität, kein einziger ein Verständnis für meine Frau und meine Lage. Nach langer Pause sprach allein Hellpach, ohne Feindseligkeit. Er schien meinen Entschluß zu respektieren. Wie immer sprach er rational und mit gesundem Menschenverstand. Er suchte nach Gründen, die mich veranlassen könnten, in Heidelberg zu bleiben, z. B. das Klima. Er als Geopsychologe wisse, daß das Basler Klima für meine Krankheit schlechter sei als das Heidelberger. Meine Sorgen suchte er zu beschwichtigen. Die von mir gefürchtete Unsicherheit sei doch faktisch nach menschlichem Ermessen nicht da. Daß er überhaupt sprach, war mir in der unerwarteten, mich beklemmenden Atmosphäre eine Wohltat. Die Erfahrung dieser Sitzung konnte meinen Entschluß nur bekräftigen.

Der Abstand in der Denkungsart zwischen meinen Kollegen und mir war so groß, daß eine Gemeinschaft nicht mehr möglich war. In welchem Sinn meine Kollegen, in welchem Sinn ich recht hatte, wird vielleicht entschieden werden, wenn in Zukunft sich überhaupt noch jemand für deutsche Geistesgeschichte interessiert. Mir war mein Recht gewiß. Einst war ich hier zu Hause, wie ich nie mehr irgendwo zu Hause sein werde. Heute aber leben auch die meisten Professoren aus anderen Voraussetzungen, anderen Stimmungen, anderer Denkungsart, sowohl geistig wie politisch. Was bisher nur in Augenblicken sich zeigte, wird sich bald steigern. Hier werde ich erst als Isolierter, dann als Ausgeschlossener leben müssen. (...)

Dies alles war wohl schon eindeutig. Trotzdem war unser Entschluß nicht eindeutig. Denn es gab auch die anderen und das andere. Wir haben doch durch die ganze Nazizeit mit Deutschen gelebt, die keine Nazis waren, unter Menschen, die wir liebten und heute lieben. Es waren, wenn auch eine kleine Minderheit, doch nicht wenige. Wir kannten sie, die tapfer in der Not und mit Würde lebten. Politisch kamen sie sehr selten zur Radikalität des Urteils und blieben uns darum – angesichts der Taten des Verbrecherstaates – zu unserem Schmerz auch fremd. (Das entscheidende Kriterium war: Hitlerdeutschland muß den Krieg verlieren.) Sie waren uns hilfreich, soweit sie es vermochten. Sogar vereinzelte Kollegen waren uns zugetan und menschlich nahe. Und vor allem die alten Freunde und Freundinnen aus einem Miteinander seit Jahrzehnten.

Dies, was wir verließen, fühlten wir sehr stark. Es kamen Augenblicke, in denen die Trennung unmöglich schien. Das war das Widerspruchsvolle unserer inneren Verfassung. Wir waren unruhig. Was uns forttrieb, war klar: Das Ausbleiben der Konsequenzen des Massenmords an Juden – der radikale Abstand vom totalen Verbrecherstaat – meine Isolierung in den Universitätsbestrebungen – die Feindseligkeit der Regierung – eine Überbeanspruchung durch vergebliche Bemühungen – eine Minderung der Kraft meines philosophischen Arbeitens. Aber das andere hielt ein Gegengewicht. (...)

Es gab ein weiteres Motiv, das für Basel sprach. Nach 1945 haben wir alle gehungert. Die schlimmste Zeit war Sommer und Herbst 1945. Dann wurde es besser, für uns zuerst durch Pakete, die Hannah Arendt auf dem Wege über einen amerikanischen Offizier schickte, später als die Post funktionierte und die großen privaten Hilfsaktionen aus Amerika einsetzten, durch Care-Pakete, und immer noch vor allem durch Hannah Arendt, die wöchentlich ein großes Paket schickte trotz ihrer damals bedrängten finanziellen Verhältnisse. Wir hatten genug und hatten sogar aus den Paketen eine Reserve für den Fall, daß diese Versorgung einmal aus Ursachen, die auch Hannah nicht überwinden könnte, aussetzen sollte. (Diese Reserve ging, als wir nach Basel übersiedelten, an meine Schwester.) Unser Leben war gesichert. Hunger gab es nicht mehr. Aber es war auch kaum zu verantworten, auf eine damals noch völlig ungewisse, lang dauernde Zukunft hin, uns von Hannah ernähren zu lassen. In Basel aber kamen meiner Frau Tränen in die Augen, als der Milchwagen vor der Tür stand. Denn frische Milch war immer die Grundlage meiner Ernährung gewesen und fehlte damals in Heidelberg.

Es gab ein Gerede von meinem Feilschen um das Gehalt. Von dieser Verleumdung berichtete mir ein trefflicher junger Redakteur der »Rhein-Neckar-Zeitung«. Er wollte sich informieren und informierte mich. Es war ein offenes Gespräch. Am Ende ließ er auch jeden Widerspruch für den Fall meiner Übersiedlung nach Basel fallen. Er erzählte mir, man sage, es handle sich im Grunde darum, welche Regierung mehr böte. Ich hatte ein außerordentlich hohes Angebot aus Karlsruhe erhalten. Das spiele ich nun gegen Basel aus und das gehe noch hin und her. So war es früher bei Berufungen innerhalb Deutschlands gegangen. Ich hatte es selber erlebt. Eine wesentliche Erhöhung des Einkommens konnte man nur erreichen durch einen Ruf nach auswärts. Die Angebote ließ man nach beiden Seiten kundwerden. Jetzt aber lag die Sache völlig anders. Von den Heidelberger Angeboten machte ich in Basel keinerlei Mitteilung. Aber ich ließ sie mir in Heidelberg schriftlich geben für den Fall, daß wir bleiben sollten. Es war für mich beschämend, wie dies Angebot ohne Initiative meinerseits von der Regierung bei jedem Besuch des Referenten erhöht wurde. Ich sollte das höchste Gehalt bekommen, dazu die Abmachung, daß, wenn in Zukunft in irgendeiner Fakultät ein Neuberufener ein höheres Gehalt (nebst Kollegsgarantie) erhalten sollte, ich sofort das gleiche bekommen würde. Ein Privatassistent und eine Sekretärin wurden mir angeboten, Urlaub alle drei Semester und Verkürzung der Vorlesungsverpflichtung. Das war für den Fall meines Bleibens festgelegt. Aber Basel wußte nichts davon. Das Basler Angebot war im Vergleich dazu mehr als bescheiden. Es war von vornherein festgelegt und nicht Gegenstand einer Verhandlung. Aus solchem Gerede entnahm ich, was manche der Leute, die mich so sehr begehrten, von mir hielten. Auch dies zu wissen, war nicht gleichgültig. (…)

Die Frage: Warum gingen wir von Heidelberg nach Basel? ist trotz vieler Gründe am Ende nicht zu beantworten. Es war ein Augenblick, in dem man wohl sagte: Das Schicksal entscheidet, der Wille fügt sich. Wir fühlten uns gerufen. Wir hatten Zutrauen. (…)

Margret Boveri

Tage des Überlebens

Sicherlich ist Margret Boveri die brillanteste deutsche Journalistin des 20. Jahrhunderts gewesen: klug, modern und weltgewandt. Und gleichzeitig hat sie unter den Nazis Karriere gemacht, was ohne Verstrickung in die NS-Ideologie nicht zu machen war. So verfaßt sie als Redakteurin Artikel für das ›Berliner Tageblatt‹ oder später für die ›Frankfurter Zeitung‹, die voll auf NS-Linie liegen. Ab März 1944 schreibt sie als freie Autorin für das publizistische Goebbels-Flaggschiff ›Das Reich‹. Für einige antisemitische Texte, in denen sie das Klischee von der angeblichen jüdischen Weltverschwörung bedient, schämt sie sich nach dem Krieg: »Ich denke«, so schreibt sie lakonisch in ihren Erinnerungen ›Verzweigungen‹, »an Kündigung, verbunden mit Wechsel des Berufs, um Chauffeur zu werden.«

1900 in eine wohlhabende deutsch-amerikanische Familie in Würzburg hineingeboren, studiert Boveri Anglistik, Geschichte und Germanistik, wendet sich jedoch erst spät dem Journalismus zu. Paul Scheffer holt sie 1934 zum ›Berliner Tageblatt‹, wo sie schnell aufsteigt. Aus dem Gefühl heraus, »eine sehr starke Liebe zu Deutschland« zu empfinden, emigriert sie nicht ins Ausland wie viele ihrer Freunde, und das, obwohl sie neben der deutschen auch die amerikanische Staatsbürgerschaft besitzt.

Nach dem Zweiten Weltkrieg schreibt sie für die CDU-Zeitung ›Neue Zeit‹ und die ›Frankfurter Allgemeine Zeitung‹, außerdem veröffentlicht sie mehrere Bücher über ihre journalistische Arbeit während des Dritten Reiches, darunter den Klassiker ›Wir lügen alle‹ über ihre Zeit beim ›Berliner Tageblatt‹. Margret Boveri stirbt 1975.

1.–3. Mai 1945

Bevor ich noch gefrühstückt hatte, rief Frau Mietusch: »Es gibt Haferflocken« – und ich raste mit meinem Eimer die Treppe hinunter, kam aber wie immer zu spät. Sich balgende und beschimpfende Frauen umlagerten ein Wehrmachtsauto. Frau Mietusch bekam noch den leeren Sack, aus dem sie immerhin noch ein Pfund herausholte und später mit mir teilte. Ich sah indessen an der Straßenecke eine Frau mit einem großen Stück Fleisch, fragte, woher das komme und bekam die Antwort, da vorne gebe es Pferdefleisch. Ich dachte, es werde verteilt, rannte hin und fand ein halbes, noch warmes Pferd auf dem Trottoir und drum herum Männer und Frauen mit Messern und Beilen, die sich Stücke lossäbelten. Ich zog also mein großes Taschenmesser, eroberte mir einen Platz und säbelte auch. Einfach wars nicht. Ich bekam ein Viertel Lunge und ein Stück von der Keule, woran noch das Pferdefell war und zog blutbespritzt ab. Da wir im letzten Krieg vom Metzger auch Pferdefleisch bekommen hatten und es gut fanden, war ich hochbefriedigt, wollte mit Frau Mietusch teilen, – die aber wandte sich schaudernd ab. Nun begann eine scheußliche Arbeit in der Küche. Alles war voll Blut, ein außergewöhnlich hellrotes, fast rosa Blut – und ich kann mir jetzt lebhaft vorstellen, wie schwer es einem Mörder fällt, die Blutspuren zu entfernen. Irgendwo bleibt doch ein Fleck. Ich erkannte bald, daß das Fleisch erst abhängen müsse, zog durch jedes Stück eine Schnur und hing beide auf. Das Fell war abgeschnitten. Von der Lunge trieb ich doch schon die Hälfte durch und machte mit Zwiebel, Thymian und einer Einbrenn eine sehr köstliche Lungenblutwurst, womit ich nun wieder einen Brotaufstrich habe. Während diese Metzelei noch im Gang war, rief Herr Mietusch, der erste russische Wagen fahre durch unsere Straße. Dies historische Ereignis mußte ich mir entgehen lassen, denn sonst hätte ich das Blut auch in die Vorderzimmer gebracht. Außerdem hatte ich Angst, ein Russe könne mich sehen und denken, ich hätte einen seiner Kameraden umgebracht. (…)

Das Fazit nach dem Ablauf des Jahrs 1945 klingt recht negativ: »Wir werden nun alle zu Scarlet O'Haras, – nicht in bezug auf die Kollaboration, obwohl es natürlich auch viele solche gibt, sondern in bezug auf die Seelenverhärtung. Was die zwölf Jahre doch nicht [ganz] fertiggebracht haben, das geschieht jetzt. Es ist wohl ein ähnlicher Zustand wie in einer Besserungsanstalt. Herta schrieb es in bezug auf sich schon im Oktober: nichts mehr von ›klar geschlagenem Hämmern des Herzens‹, sondern nur noch, neben Müdigkeit und Überanstrengung: Egoismus und Berechnung. Ich merke es an mir erst allmählich, heute früh, als am Radio ein langsamer Satz eines Schubert-Quartetts gespielt wurde, welcher die Schale durchbrach und, in der Erinnerung an frühere Zeiten, den Gedanken an die einsame Mama und an traurige Menschen in aller Welt aufkommen ließ. Abends lese ich grad Rilke-Briefe, auf der Suche nach einer bestimmten Stelle, über den Wert und die Aura der alten ererbten Dinge, ein Krug, ein Brunnen, ein Schrank, ähnlich wie in der 9. Elegie, aber auf Prosa und nur diesseitig. Bei diesem Lesen sehe ich, daß Stellen, die mich früher nicht einmal, sondern wiederholt tief berührten, mich nun gar nicht ansprechen; ich lese Buchstaben und Sätze auf dem Papier. Vielleicht ist das alles eine Art Selbsterhaltungstrieb, – was es ja auch bei der Scarlet war ...«

Wir waren zu stark mit dem bloßen Überleben beschäftigt, um uns damals schon ganz bewußt zu werden, daß wir uns – und zwar nicht nur in bezug auf die Herrschaftssysteme – in einer neuen Epoche befanden und daß jeder Übergang eine Verwandlung bedeutet. An die Stelle von Rilke trat Gottfried Benn, später Uwe Johnson. Beider Bücher sind auf Berliner Boden gewachsen. Über Rilke schrieb Benn: »Diese dürftige Gestalt und Born großer Lyrik, verschieden an Weißblütigkeit, gebettet zwischen die bronzenen Hügel des Rhonetals unter einer Erde, über die französische Laute wehn, schrieb den Vers, den meine Generation nie vergessen wird: ›Wer spricht von Siegen – Überstehn ist alles!‹«

Anfang 1946 war nicht zu ahnen, daß wir binnen drei Jahren zu Helden der Freiheit aufmontiert werden würden. Unter den Lobeshymnen, die der Stadt und ihren Bürgern dann plötzlich zuteil wurden, blieb den nüchternen Berlinern immer bewußt, daß sie schon genauso »heldisch« oder »nicht-heldisch« gewesen waren, als sie in unerträglich scheinenden Lagen stets das gleiche versucht hatten: am Leben zu bleiben und nicht jegliche Zuversicht zu verlieren. Die Wendung im Kalten Krieg hat durch das Einströmen westlicher Gelder und Initiativen dem materiellen Wiederaufbau der West-Stadt einen großen Auftrieb gegeben. Ob das ihrem Wesen, ihrem inneren Leben und ihrer Politik bekömmlich war, wird erst eine spätere Zeit beurteilen können.

Hildegard Knef

Der geschenkte Gaul

Charakterdarstellerin, Star am Broadway, Hollywoodschauspielerin, Chansonsängerin, Autorin und Malerin – Hildegard Knef ist alles zusammen: »Solange ich atme, werte ich meine Begabungen aus« lautet ihr Motto. Ihr Durchbruch gelingt der 1925 in Ulm geborenen Knef 1946 mit dem ersten deutschen Nachkriegsfilm ›Die Mörder sind unter uns‹. Sie spielt darin eine ehemalige KZ-Insassin, die im zerbombten Berlin einen Kriegsheimkehrer davon abhält, einen unentdeckten Naziverbrecher zu richten. In den fünfziger Jahren erobert sie als Ninotschka den Broadway, dreht zugleich Filme mit vielen Stars der damaligen Zeit.

Als »größte Sängerin ohne Stimme« (Ella Fitzgerald) beginnt sie Anfang der sechziger Jahre eine zweite Karriere als Sängerin eigener Chansons und wieder mit durchschlagendem Erfolg. Ihre Autobiographie ›Der geschenkte Gaul‹ von 1970 wird nicht nur ein internationaler Millionenbestseller, sondern auch als literarisches Werk von Rang gewürdigt. Doch wie so häufig bei ihr folgt dem Erfolg der Nackenschlag: Hildegard Knef erkrankt an Krebs. Sie unterzieht sich einer Unmenge von Operationen, wird mehr als einmal, im buchstäblichen Sinne, von der Boulevardpresse, die ein ständiger Begleiter ihrer beruflichen wie privaten Höhenflüge, Abstürze und Tragödien ist, »totgeschrieben«. Doch erneut macht sie ihrem Ruf als Stehaufmännchen alle Ehre. Es ist wohl diese Mischung aus Schicksalsschlägen, Tabubrüchen – schonungslos berichtet sie in ›Das Urteil‹ von ihrer Erkrankung – und berlinisch-preußischer Disziplin, in der sie ihrer Freundin Marlene Dietrich kaum nachsteht, die, verbunden mit unbestechlicher Intelligenz und einer großen künstlerischen Begabung, aus »der Knef« schon zu Lebzeiten einen Mythos macht. Nach einem erneuten Comeback als Interpretin ihrer Chansons, zum Teil neu arrangiert von jungen Musikern, stirbt Hildegard Knef 2002 in Berlin.

Die Vorräte waren zu Ende, Günther [Günther Lüders] und Schampi [Karl Schönböck] reparierten Fahrradschläuche, klopften Speichen, fuhren ausweisbeladen, in der Hoffnung, Tauschfreudige zu finden, zum Brandenburger Tor: Schuhe gegen Mehl, Bratpfanne gegen Rucksack, Eipulver gegen Fahrradpumpe, Teekanne gegen Trockenerbsen, Graupen gegen Perserbrücke ... Schampi kam allein mit magerer Beute, Günther war verschwunden. Wir saßen auf mondbeschienener Terrasse – die Sperrstunde war überschritten – und sahen ihn verschleppt, in Lagern, auf dem Weg nach Sibirien. Viktor [Victor de Kowa] sagte: »Morgen früh gehe ich zur Kommandantur.« Muh machte es hinter uns. Eine schwarz-weiß gefleckte Kuh sah uns an, kaute geistesabwesend, trug eine zerfledderte Strippe um den Hals, an deren Ende Günther hing. »Ich habe einen neuen Mieter mitgebracht«, sagte er. Ein Trupp russischer Soldaten, der eine brüllende Kuh mit sich führte, hatte Interesse an Günthers Fahrrad gezeigt. Sie nahmen es ihm ab, überließen ihm erleichtert die Melkbedürftige. Im Melken ungeübt und auch ohne Eimer, blieb ihm nichts anderes übrig, als die Milch an mit Töpfen und Kannen Herbeieilende abzutreten. Wir glaubten an eine Fügung, sahen uns Milchsuppen kochen, Butter stampfen, Quark essen. Am nächsten Morgen betraten zwei russische Offiziere und drei Soldaten Viktors Grundstück, behaupteten, die Kuh sei gestohlen. Nach endloser Verhandlung, von Viktor geführt und von Donschi [ein lettischer Schauspieler namens Dohnberg] übersetzt, verzichteten sie auf militärgerichtliches Verfahren, verließen uns, die Liebgewonnene mit sich führend.

Michis [Michi de Kowa, geb. Tanaka, Frau Victor de Kowas] akkubetriebenes Radio war die Verbindung zur Außenwelt; es wurde ängstlich gehütet, umsorgt und nur für Minuten angestellt. An einem Mittag im Juli hörten wir statt der üblichen russischen Militärmusik unverkennbar westlichen Swing. Entgeistert sahen wir auf den schwarzen Kasten. Zwei Stunden später hielt ein Jeep auf dem Kiesweg, ein Mann in einer mir nur aus Wochenschauen bekannten Uniform verlangte Frau de Kowa zu sprechen. Ich sah Michi die Treppe hinunterstürzen, sah sie den Mann umarmen, in Tränen ausbrechen, hörte sie »Percy, how wonderful, how absolutely wonderful!« sagen. Michi, aus berühmter japanischer Familie stammend und seit Jahren in Europa lebend, hatte zahllose Freunde in vielen Ländern, Freunde, die sie auch während der Kriegsjahre nicht vergessen hatten. Einer davon war General Montgomery. Er hatte jenen ebenfalls befreundeten Percy, der Korrespondent für das amerikanische LIFE-Magazin war, zu den de Kowas geschickt, mit der Frage, ob und wie er behilflich sein könnte.

Wenige Tage nach diesem Wiedersehen und dem Einmarsch der Engländer, Amerikaner und Franzosen, die sich mit den bereits anwesenden Russen die Stadt wie einen von Kinderhand geschnittenen Geburtstagskuchen teilen sollten, war Viktor Civilian Director der Army Welfare Services Berlin Showboat. Außerdem wurde ihm eine Lizenz erteilt, die »Tribüne am Knie« als erstes Theater zu eröffnen. Die Russen hatten unseren Sektor verlassen, die Offiziere kamen nur noch besuchsweise, so auch zu unserer Premiere. Wir hatten geputzt und gehämmert, russischen Kot aus dem klapprigen Bühnen-Bechstein entfernt, aus Laken Abendkleider genäht, von Viktor umgedichtete Wilhelm-Busch-Verse gelernt. Ich durfte ansagen. »Eins, zwei, drei, im Sauseschritt läuft die Zeit, wir laufen mit ...« begann ich, und damit der Reigen der großen Stars, die mehr oder weniger verhungert bei Kerzenlicht Gedichte aufsagten, Klavier spielten, Lieder sangen oder tanzten.

Michi hatte einen Astrologen zu Rate gezogen, der nur Gutes zu melden wußte. »Ihre Mutter lebt«, sagte er zu mir, »Sie werden bald von ihr hören.«

Vor der Premiere kam eine Frau auf einem verrosteten Fahrrad, brachte mir einen Brief von meinem Großvater.

In Else Bongers' Haus wohnten jetzt Engländer, sie waren höflich und distanziert, ließen ihre Zigaretten herumliegen, zeterten, daß der Hauswart sie bestohlen. Sie benahmen sich wie irritierte Kindergärtner, die es aufgegeben hatten, ihren Zöglingen Manieren beizubringen. Die auf Militärbehörden und Straßen gezeigte Verachtung traf uns nicht, ihr bloßes Vorhandensein war einer Befreiung gleichgekommen. Bei Else Bongers meldeten sich wieder Schauspieler, Schauspielschüler, Schriftsteller, Regisseure, unter ihnen eine Journalistin namens Edith Hamann, die jeden Dazukommenden mit »Wer ist tot?« begrüßte, was niemanden verwunderte, da die Überlebenden in der Minderzahl. Mit der verspäteten und schon nicht mehr erwarteten Ankunft der westlichen Alliierten wurden die Ruinen nicht zu Häusern, die Verschollenen nicht gefunden, die Toten nicht lebendig, die Ängste nicht vergessen, die Hungerödeme nicht geheilt, die Rattenhorden nicht verbannt – aber für mich und für meine bis auf kümmerliche Reste reduzierte Generation öffnete sich, wenn auch zaghaft, das Buch mit sieben Siegeln –, es wurde erzählt, es wurden Schicksale aufgedeckt und Geheimnisse preisgegeben, ein unübersehbarer Wust von Fragen tauchte auf: Wer ist wer, wer war wer, wann war wer was und ist er und war er, was er sagt? Erlöst konzentrierte ich mich auf den neuen Ausbruch der Ruhr, beschäftigt mit der einzigen Tätigkeit, die ich gelernt hatte: das Überleben, und zum Überleben gehörte auch das Theater. Der Regisseur Karl Heinz Martin hatte mich in der »Tribüne« gesehen, bot mir zwei Rollen in geplanten Inszenierungen an, Viktor sagte: »Du nimmst das Angebot an, ich werde dich umbesetzen, zwei Rollen sind besser als eine Conference.« Wieder hatte ich das Gefühl, mich freuen zu müssen, und konnte es nicht; zu Recht, wie sich herausstellte, denn ich wurde von den Militärbehörden verboten – Begründung: Bekanntschaft mit E. v. D. [Ewald von Demandowsky, im Dritten Reich Produktionschef der Filmgesellschaft Tobis, ab 1937 Reichsfilmdirektor] und die Flitterwochen zwischen Friesack und Biesenthal. Nach wenigen Tagen wurde ich ohne Begründung wieder zugelassen, der Wankelmut der unablässig wechselnden Herrscher war nicht neu, ich unterließ es, Näheres zu erforschen. Vier Jahre später, als ich aus demselben Grund einen amerikanischen Filmvertrag verlor – diesmal dank der Intervention von Kollegen, denen es gelungen, die alte Akte hervorzuzerren –, einen Vertrag, der mich für eine Rolle an der Seite des von mir so sehr verehrten Montgomery Clift verpflichtete, erfuhr ich, daß Viktor de Kowa und Else Bongers die Militärbehörde heimgesucht, nachdrückliche Worte gesprochen und meine Zulassung bewirkt hatten. Ich erfuhr auch, daß Else Bongers verheiratet war, daß ihr politisch aktiver Mann 1933 geflohen, daß er in Shanghai lebte, daß sie bis 45 Deutschland nicht verlassen durfte, als Pfand sichergestellt, um den Ehemann von weiteren politischen Taten abzuhalten. Daß ihr Schwiegervater Regierungspräsident gewesen war und, von den Nazis halb blind geschlagen, viele Jahre in einem Konzentrationslager zugebracht hatte.

Mit dem Beginn der neuen Proben verließ ich das de Kowasche Haus. Sie hatten mich entlaust, gefüttert, bewahrt, gerettet, Papiere besorgt, Rollen verschafft, es war an der Zeit, meine Dankbarkeit zu zeigen, indem ich Bett und Tisch anderen Bedürftigen überließ. Das Haus in der Gelfertstraße war frei, ich hatte eine Bleibe, wenn auch keinen Schimmer, wie ich mich ernähren sollte, die Gage hatte Tapetenwert. Am letzten Abend drängte ich mich durch um Viktor gescharte Engländer, Amerikaner, Franzosen, ging auf die Terrasse, nahm Abschied, sagte ein Dankeschön in den finsteren Himmel hinauf. Jemand sagte: »Vous êtes très belle.« Mein Schulfranzösisch fühlte sich nicht angesprochen, ich schwieg. Ich erkannte eine russische Uniform, Orden und Ehrenzeichen, Generalsstreifen, ein freundliches Gesicht mit dunklen Augen. »Merci«, sagte ich nach heftigem Nachdenken und verschwand. Michi hielt mich fest, flüsterte: »Schneid uns ein paar Scheiben Brot, ich wollte es eigentlich für morgen früh aufheben, aber sie haben Alkohol mitgebracht, und auf den leeren Magen, na du weißt schon.« Ich nahm eine Kerze, ging in die Küche, setzte mich hin, schnitt Hauchdünne.

Hier ist doch jemand – denke ich, seh mich um, seh nichts, höre atmen, steh auf, nehm Küchenmesser in die Rechte, sehe meinen Vous-êtes-très-belle-Russen. Der steht an der Tür, sagt diesmal gar nichts, guckt nur so, den nationsvereinenden Blick, vom Muschik zum General. Ich knall das Küchenmesser in den Tisch, der Holzgriff wackelt, langsam kommt er auf mich zu, aufgehalten von Tisch und Messer, stehen wir, sehen uns an. Brüllen geht nicht, denke ich – Umbringen auch nicht – Vergewaltigen auch nicht – Ausreden kaum und mit Merci schon gar nicht. Er kommt um den Tisch herum, ich zieh am Messer, es steckt, er lächelt milde, greift nach Kopf und anderem. »Das ist eine Gemeinheit, eine niederträchtige Gemeinheit«, kreischt eine weinerliche Stimme, »du klaust mir diesen russischen Himmelsmenschen, das hätte ich nie von dir gedacht.« In der Tür steht Donschi, fährt über tränennasses Gesicht, sucht Halt, inneren und äußeren. Mein General verläßt

Küche und Haus, ich gehe zu Donschi, will Hände schütteln, sage: »Du hast mich gerettet.« Er schlägt auf die Dargebotene, zischt »Du Sau«, verläßt mich ebenfalls.

Ich grub den Mumiendeckel aus, eine Ecke seines Kopfschmucks hatte er eingebüßt, aber er lächelte nachsichtig-geheimnisvoll, nahm Geschehenes nicht übel. »Was du machen?« rief ein langbeiniger Kauender über den Zaun; zwei Amerikaner kamen durch die Gartentür, nahmen den Mumiendeckel, betrachteten ihn mißtrauisch. »Ich wohne hier«, sagte ich. Der andere war klein, dunkelhaarig, stampfte mürrisch eine halbgerauchte Zigarette in den Boden, sagte in überraschend akzentfreiem Deutsch: »Das Haus ist beschlagnahmt, Fräulein, Sie können einen Koffer mitnehmen, in zwei Stunden müssen Sie draußen sein.« – »Ich habe einen Onkel in Chicago«, sagte ich hoffnungsvoll, aber er hörte nicht hin. »Es ist doch schon Sperrstunde, ich darf gar nicht auf die Straße«, rief ich noch, er zuckte die Achseln, ging durch das Wohnzimmer in die Küche. E. v. D.s Mutter und Schwester Amalia nahmen ihre Bündel, zogen wieder in den Keller der ausgebombten Villa.

Wir spielten »Raub der Sabinerinnen« im Renaissance-Theater, probierten am Tag den »Kammersänger« mit Hubert von Meyerinck, zwischen Probe und Vorstellung kam ein Knabe, den »Roten Radlern« zugehörig, einer radfahrenden Vereinigung, die Bahn-, Post- und Telefonersatz war, sagte: »Der Herr Barlog sucht Sie, Sie sollen mal vorbeikommen, er wohnt jetzt in Lichterfelde.«

Er stand im Garten, biß in eine Tomate, eine Saftfontäne schoß kerngetränkt durch die Luft, ließ sich auf den emporragenden Haarantennen nieder. »Da biste ja«, schrie er, »Mensch die Kleene, willste ne Tomate, allet was wa ham sind Tomaten.« Er zeigte auf seinen Tomatengarten und stellte mich Herta, seiner Frau, vor. »Na, die Scheiße hättn wa hinta uns«, sagte er tomatenreichend. Herta lächelte milde, blinkte mit großen Katzenaugen. »Also ick mach Theata, ick krieg ne Lizenz« – dabei sprudelte es nachdrücklich – »fürs Schloßparktheata in Steglitz, wir können im November anfangen. Also Schauspieler jibt's ja, aber Näjel, Mensch, wir brauchen Näjel, für die Dekoration und überhaupt. Ick hab jedacht, du könnst n Prolog sprechen von Joethe, und denn spieln wa als erstes ›Hokuspokus‹ vom Joetz. Machste mit?« Ich nickte begeistert. »Wo wohnstn?« – »Gar nich, kann ich heute nacht vielleicht hier …?« Er schickte mich zu Hilde Körber, sagte: »Die hat bei den Amerikanern n Stein im Brett, die hat ne jroße Wohnung und wird auch nich beschlachnahmt.« Ich ging hin, sagte: »Ich komme von Barlog.« Es war wie Sesam öffne dich, ich durfte bleiben, vierzehn Tage lang, bekam Brot und Suppe und Bett und Zuhausegefühl.

Mutter hatte den auf Landstraßen hin und her Ziehenden Briefe mitgegeben, einer war durchgekommen. Sie schrieb: »Ich stehe an Kreuzungen, frage, was war in Wilmersdorf, in Zehlendorf, sie sagen, viele sind tot, sind vergewaltigt, ich habe kaum noch Hoffnung, Euch wiederzusehen. Ich versuche Papiere zu bekommen, ich möchte nach Berlin zurück, alle sagen, ich sei verrückt, weil es in Berlin überhaupt nichts mehr zu essen gäbe und Typhus und Ruhr herrsche. Es ist mir egal, ich muß Euch finden. Uns ist nichts passiert, die Kämpfe waren zwar schlimm, aber wir haben sie überlebt.«

Hubert von Meyerinck kam in unsern Garderobenschlauch, schrie: »Gott, bin ich nervös, Premieren machen mich wahnsinnig, das ganze Parkett voller Amerikaner und Engländer und Franzosen, verstehen sowieso kein Wort, die Armen. Übrigens, heute sind wieder neue Amerikaner angekommen, standen am Roseneck, fummelten mit ihren Pistolen, standen auf der einen Seite, wir auf der andern, sie guckten uns an, drehten ihre Pistolen, Kinder, absolute Kinder, aber sie sehen aus: faaabelhaft, solche Schultern« – er streckte die Hände, Klavierbreiten andeutend – »und solche Hüften« – er führte sie zu Streichholzschachtelformat zusammen – »faaabelhaft, besonders der eine Blonde.« Der Inspizient brüllte: »Fünf Minuten«, Hubsi ging augenrollend hinaus. Meine Rolle verlangte laut Wedekind einen amerikanischen Akzent, ich mümmelte also, wie einstudiert, nach der Vorstellung wurde das Mümmeln verboten, ich hätte ohne Akzent zu spielen, es wäre eine Verhohnepiepelung der Besatzungsmacht. Ich übte den ganzen Tag ohne Akzent, kam hoffnungsvoll ins Theater, fand einen gebrochenen Meyerinck vor: »Was sagt ihr«, rief er, die Arme zum Himmel streckend, »was sagt ihr, ich komme nach Haus, da steht doch dieser herrliche Blonde vom Roseneck, ich denke, mich trifft der Schlag, also dieser Traum steht da, kaut Kaugummi, das ist ja nun weniger attraktiv, also er sagt: Ihr Haus ist beschlagnahmt.« Er sah uns an, stöhnte: »Ist das nicht grauenvoll?« Herr Raeck, der Theaterleiter, schritt durch geschlossenen Vorhang, hatte weiße Nase und grünlich Verfärbtes ringsrum, sagte: »Ich muß Ihnen mitteilen, daß das Theater soeben beschlagnahmt wurde, wir dürfen nicht mehr spielen.«

Ich hatte ein Fahrrad, eins von Hilde Körbers Sohn, und den Mumiendeckel. Mein Kiefer eiterte, die Ruhr kündigte neues Gastspiel an, ich suchte Dr. Rode, fand statt Haus Trümmerfeld, fand einen Zettel zwischen Steinen mit neuer Adresse. Er sagte: »Es tut jetzt weh, ein bißchen«, in der Ecke stand ein junger Mann in Zivil – vergessener Anblick, die Jungen waren tot oder in Gefangenschaft –, aber der da stand, hatte eine leere Zigarettenspitze zwischen den Zähnen, sprach russisch mit Dr. Rode. Aha, wollte ich denken, aber da tat's weh, und ich dachte gar nichts. Der Junge hieß Mischa Schewatowsky, er gab mir einen Kanten Brot und drei Zigaretten, fragte: »Haben Sie eine Bleibe?«

Meine Backe war dick, ich sah den Rode an, der lachte, sagte: »Nein nein, das ist ein Freund, der wohnt schon seit Jahren in Berlin.«

»Kurfürstendamm Ecke Leibnizstraße soll eine Pension sein, mit ein paar Zigaretten bekommen Sie vielleicht ein Zimmer«, sagte der Schewatowsky. Auf dem Weg wurde ich ohnmächtig, als ich aufwachte, war es dunkel, ein magerer Jüngling mit sanften grauen Augen und abstehenden Ohren saß neben mir, hielt mir eine Tasse vor die Nase, sagte: »Nun trinken Sie erst mal was.« Er hieß Ricci Blum, besaß außer der Tasse und dem Sofa, auf dem ich lag, einen Fotoapparat und die Fähigkeit, in C-Dur Klavier zu spielen. Tagsüber fotografierte er Engländer und Amerikaner fürs heimatliche Familienalbum, abends spielte er in einer Kneipe – die sich »Don Juan« und »Club« nannte – von »It's a Long Way to Tipperary« bis »In the Mood« alles, was das Besatzerherz begehrte, dafür gab's Kaffee, Suppe und manchmal Zigaretten. Die Kneipe war »Off Limits«, was hieß, daß Deutsche unerwünscht, ausgenommen die dort emsig rotierenden Mixer, Klosettfrauen, der Alleinunterhalter Ricci und ein Wiener Trumm, der als Dame verkleidet die »Lustige Witwe« sang; sein Name war Marcel André, wie er außerdem hieß, wird keiner je erfahren. Ricci nahm mich mit, sagte: »Um elf kriege ich Suppe, da kann ich Ihnen was abgeben.« Den kontrollierenden englischen Sergeanten informierte er, daß ich seine Schwester sei, die die Noten umblättern müsse; daß er keine lesen konnte, behielt er für sich. Um zehn war es voll, um zwölf standen sie um das Klavier, sangen gläserschwenkend, die Amerikaner riefen: »Hallo Fraulein«, wobei das »Fraulein« große Schwierigkeiten zu bereiten schien, wiederkauende Mundbewegungen, Murmeln in der Kehle. Die Engländer lehnten verhalten mit indiengeschulten Sahib-Mienen an Bar und Wänden.

Morgens, nach der Sperrstunde, zog ich ins »Ida«, es war ein bis auf zwei Etagen abgebranntes ehemals vierstöckiges Mietshaus mit handtuchbreiten Zimmern, in denen je ein sprungfederkrankes Sofa stand; es gab keine Fenster, keine Bettdecken, keine Wäsche, kein Wasser, kein Licht, aber es gab eine Küche mit altersschwachem Kochherd, um den sich in den Vormittagsstunden die Augsburgerstraße-Nutten scharten. Auf der Platte lagen Brennscheren, Brotscheiben und Cornedbeefbüchsen. Nachdem meine Mitmieter festgestellt hatten, daß meine beruflichen Interessen nicht mit den ihren kollidierten, gaben sie mir vom nächtlich Erarbeiteten ab. Eine wogende Rothaarige feilte ihre Nägel und verkündete in die morgendliche Eintracht: »Ick hab jestern ne Penicillinquelle uffjerissen.« Abgenagte Federn auf grünen, roten, violetten Morgenröcken flatterten, Stimmen überschlugen sich, Herdringe schepperten, die Ampullen wanderten von Hand zu Hand, die Aufregung machte weihevoller Rührung Platz. Die milchige Flüssigkeit, für rechtschaffen erschlafenes Geld erworben, erwies sich später als in Wasser aufgelöstes Mehl; um den Herd vereint, schworen sie Rache.

Von nun an hatte ich die Wahl zwischen Riccis Suppe plus schlafloser Nacht auf Klavierbank und »Idas« verbeultem Sofa minus Suppe. Eines Morgens traf ich Sonja Ziemann, wir kannten uns von der Ufa-Schule, und sie erzählte, daß sie in einem Stück mit dem zeitnahen Titel »Liebe auf den ersten Blick« mitwirken solle. Zwei weibliche Rollen waren zu vergeben, eine war noch unbesetzt, ich bekam sie, und wir probierten in einem Wohnzimmer mit einem armen alten Regisseur, der ruhrgeplagt zwischen Toilette und Regietisch hin- und herrannte. Die Aufführungen sollten in einem Kino an der Schönhauser Allee im Norden Berlins stattfinden. Bei der trübsinnigen Premiere saßen russische

Offiziere und Soldaten in den ersten zehn Reihen, in den verbleibenden einige verängstigte Berliner. Als der Vorhang fiel, sprangen zwei russische Soldaten auf die Bühne, der Regisseur, der gerade von der Toilette kam, schrie »Achtung«, und wir hopsten durch das Garderobenfenster auf den Hof, krallten unsere Räder, rasten Richtung Charlottenburg; das Stück wurde bald abgesetzt, und meine Tätigkeit beschränkte sich auf Sonntage, an denen ich zwischen neun und zehn Stormsche Gedichte im russisch geleiteten Sender an der Masurenallee las, da der Strom mehr ab- als angestellt war, wurden meine Bemühungen um Endsilben nur vom Tonmeister und einigen Eingeweihten wahrgenommen. Ricci schlief bei seinen C-Dur-Variationen zu »Sentimental Journey« fast ein, er verbrachte die Tage auf dem Fahrrad zwischen Lübars und Kurfürstendamm, tätigte Tauschgeschäfte mit Bauern. Einmal brachte er eine Wurst mit, sie lag auf der Klavierbank, und wir warteten auf den Abzug der Whiskyseligen, um sie zu verschlingen. Ein volltrunknes Riesenkind fand Gefallen an dem Kratzer auf meiner Nase, den ich seit der Garderobenflucht aufzuweisen hatte, zog mich von der Bank, rief: »Now you tell me what happened to your nose.« Der Sprache nicht mächtig und auch nicht bereit, Genaues bekanntzugeben, blickte ich hilfesuchend zu Ricci; der sich dermaßen übergangen fühlende Riese sah sich veranlaßt, ein »You goddam Germans« zu bellen, was keinen Anwesenden sonderlich verärgerte, um seinem Ausruf Nachdruck zu verleihen, schaukelte er mich mit Mammuthand. Ricci, der Dürre, unterbrach seine Darbietung, stand auf und schlug ihn k. o., die darauf folgende Keilerei wurde durch die Ankunft knüppelschwingender englischer Militärpolizei beendet, Ricci und ich turnten durchs Klosettfenster, rannten über Ruinenfelder, entkamen der Verhaftung, hinterließen eine Wurst.

Vor dem amerikanischen Hauptquartier OMGUS in Dahlem standen straffe Soldaten mit prallen Hintern und aufgepflanzten Gewehren. Vermickerter denn je angesichts dieser gesundheitsstrotzenden Lebensbejahung, schlich ich zwischen Jeeps und ernstblickenden Limousinen zum Eingang. Deutsche Sekretärinnen in der Unerreichbaren Diensten gaben karg und kaum noch des Deutschen gewärtig Auskunft. Hier wurde entnazifiziert, nazifiziert, erfaßt, beglaubigt, überführt, bekundet, Wirres entworren, Unbegreifliches begriffen.

Auf den Fluren standen Bänke, auf den Bänken saßen Abgeschabte, Ungebügelte, Hungerödemige mit zerknirschten »Ich-mußte-ja«- oder mit trotzigen »Ich-hatte-nichts-damit-zu-tun«-Gesichtern. Sie schielten, innere Einstellungen vergessend, auf herumliegende Kippen wie Spatzen auf Pferdeäpfel.

Aufgerufen, betrat man das von einer uniformtragenden amerikanischen Sekretärin bewachte Vorzimmer. Meine telefonierte, sagte »Just a moment«, wedelte leuchtendrote Fingernägel trocken. Da weitere Sitzgelegenheiten nicht vorhanden, blieb ich stehen, betrachtete Kaffeetassen, Zuckerdosen, Karteikästen, hielt gebührenden Abstand ein. Ein makellos geputzter, doch zerstreut und von Verantwortung in Anspruch genommener Offizier betrat den Raum. Sie legte den Hörer auf, ließ ein beseeltes Lächeln erblühen, benetzte Lippen mit Zungenspitze, zupfte an Strumpfnaht und Rocksaum, schlug Beine übereinander untereinander, tupfte pedantisch geordnetes Haar, kniff ein Oberlid auf Unterlid, besagte mit Gekniffenem: Ich bin bereit oder ich weiß was du willst oder wir kennen uns so gut seit gestern abend oder wir kennen uns nicht gut genug oder in feindlicher Fremde zusammengeschweißt wird uns nichts mehr trennen oder: draußen sitzen dreißig »Krauts«. Ich folgte dem Zerstreuten, der, meinen Fragebogen schwenkend, im Nebenraum Platz nahm.

Ich brauchte Genehmigungen, Zulassungen, Gesundheitskarten; das Schloßparktheater lag im amerikanischen Sektor, statt englischer Behörde war die amerikanische Behörde zuständig, und eigenwillig, wie Behörden nun einmal sind, bestand sie darauf, eigene Ermittlungen anzustellen. Der anfänglich Im-Deutsch-stark-behindert-Scheinende wurde mit andauernden Fragen flüssiger, zum Schluß vergaß er sogar den Akzent. Mit rührender Liebe zum Detail widmete er sich meinem ausgefüllten Fragebogen; daß ich den Paragraphen »BDM-Zugehörigkeit« mit »Nein« beantwortet hatte, bewirkte Ungutes. Den Oberkörper zurückgelehnt, mit Bleistiftende auf den Tisch pochend, würdigte er mich eines Blickes, Geste und Miene ließen wissen, daß er ein Informierter, Eingeweihter und auf keinen Fall Irrezuführender sei. Durch

Verhöre in Biesenthal und Umgebung geschult, gab ich mich gelassen, obwohl starke Herztöne hinderlich wurden.

Das aus der Reihe tanzende »Nein« machte ihn verdrießlich, die dazugewonnene Verdrießlichkeit verschmolz mit der bestehenden; die bestehende resultierte aus der Verachtung ob meiner Nachlässigkeit, die mich daran gehindert, im siebenten Lebensjahr zu emigrieren, die Lage zu überblicken, eine Revolution in die Wege zu leiten, Widerstandsgruppen zu formen und mich statt dessen, die Umwelt schnöde negierend, dem Wachstum hingegeben zu haben. Ich hatte ihm nichts entgegenzusetzen. (...)

Im OMGUS-Mekka Anno 45 wurden Schreibtischfächer verschlossen, Aschbecher geleert, mein Fragebogen verwahrt, Nichtbesprochenes auf den nächsten Tag verschoben. Vor der Tür wurden Hacken geknallt, ein General trabte vorüber, in letzter rettender Sekunde unterließ ich es, ein noch vor kurzer Zeit erforderliches Heil Hitler zu sagen.

Werner Finck

Ansichten eines Narren

Einen »professionellen Eulenspiegel« nennt er sich selbst einmal, und auch in Deutschlands dunkelster Zeit zwischen 1933 und 1945 legt er die Narrenkappe nie ab, ist komisch und skeptisch, närrisch und mutig, frech und kritisch zugleich.

1902 kommt der Schriftsteller, Schauspieler und Kabarettist Werner Finck in Görlitz zur Welt, ab 1929 lebt er in Berlin, wo er mit seinem neugegründeten Kabarett »Katakombe« rasch große Erfolge feiert. 1935 wird es von den Nazis geschlossen, Finck wird verhaftet und kommt ins KZ Esterwegen. Doch schon kurz nach seiner Entlassung – »Ich bin der Finck – leicht gedrosselt« – engagiert er sich im Berliner »Kabarett der Komiker«. Das Verbot folgt 1939, und Finck wird aus der »Reichskulturkammer« ausgeschlossen. Er meldet sich freiwillig zur Wehrmacht, um einer erneuten Verhaftung zu entgehen. Nach Kriegsende tritt Finck als Kabarettist auf, leitet die »Mausefalle« in Stuttgart und gibt eine satirische Wochenschrift heraus. Zunächst auf der Bühne, ist er auch zunehmend in Film- und Fernsehrollen zu sehen. Werner Finck stirbt 1978.

Störungssuche

Mit welcher Stelle unseres Vaterlandes wir auch verbunden werden möchten, aus allen Gebieten tönt es zurück: »Besetzt! Bitte, später rufen.« Und keiner darf entgegnen: »Faßt euch kurz, nehmt Rücksicht auf die Wartenden.«

Wie lange werden wir wohl warten müssen, bis man die Leitung wieder für uns freigibt? Und wenn wir wieder etwas zu sagen haben werden, werden wir uns dann etwas zu sagen haben? Und was? Grobheiten? Vorwürfe, Beschuldigungen? – Oder Gedanken?

Zur Zeit haben die andern allein das Wort, und was wir davon zu halten haben, wird den Letzten wohl klargeworden sein: Den Mund.

(Wie gut, daß wir es so gründlich gelernt haben, das »Mund-Halten«.) Wenn unser Aufsichtsrat nur nicht so bald dahinterkäme, mit welcher heimlichen Freude wir diesen Zwang genießen; er wäre sonst imstande, uns die volle Redefreiheit wiederzugeben. Wo in aller Welt, die über uns zu Gericht sitzt, gibt es noch ein Volk, dem das Kommando: Stillgestanden! nicht nur in die Knochen fährt, was ganz in der Ordnung wäre, sondern auch in den Verstand.

Hallo, hallo! Hier ist das Lernamt. Denken Sie noch? Wird noch gedacht? Ich trenne.

Juli 1945

*

Es trifft auch nicht zu, daß ich ein aktiver Gegner des dutzendjährigen Reiches war, sonst wäre es mir wahrscheinlich auch nicht mehr möglich, das Gerücht meines Todes zu dementieren. Der passive Widerstand hat mir schon Unannehmlichkeiten genug gebracht.

Auch sind viele der tollkühnen Witze, die über mich verbreitet wurden, nicht wahr oder mindestens stark übertrieben. Möglich, daß dieses Eingeständnis meiner Beliebtheit in gewissen Kreisen Abbruch tut, aber ich opfere den billigen Ruhm gerne, wenn ich der bei uns so unterernährten Wahrheit wieder etwas zu Ansehen verhelfen kann. (O, wieviel Blut- und Bodenschande ist mit ihr getrieben worden!)

War ich nun ein zaghafter Held? Oder ein mutiger Angsthase? Auf alle Fälle ging ich niemals weiter als bis zur äußersten Grenze des gerade noch Erlaubten. Hier aber zog ich über die Narrenkappe des wortkargen Scherzes noch die Tarnkappe der vielsagenden Pause: Das machte die Angriffsspitze unsichtbar. Gegen die sie gerichtet war, die merkten nichts. Erst das schadenfrohe Gelächter meiner Freunde, die damit, ohne es zu wollen, meine Feinde wurden, ließ sie stutzig werden. Nie war die Kunst der geschliffenen politischen Spitze lebensgefährlicher als damals, niemals aber auch so reizvoll. Deshalb hat mich auch das Nachdenken über meine Möglichkeiten in einem wahrhaft demokratischen Staate etwas beunruhigt. Denn wenn man wieder alles frei heraussagen kann, was man denkt, wenn der schwindelnde Abgrund unter dem Seil, darauf die Worte halsbrecherisch balancieren müssen, abgeschirmt ist durch das Sicherheitsnetz einer liberalen Gesetzgebung: wird dann einer der vielen noch zuschauen wollen, denen früher das gleichgeschaltete Hasenherz stehenblieb, wenn man die Balance zu verlieren schien? Aber, Gott sei Dank dafür, die Entwicklung war gar nicht so ungünstig, wie ich gefürchtet hatte: Gibt es nicht auch jetzt noch genug, über das zu sprechen gefährlich ist, zum Beispiel das zu sagen, was im vorigen Satz gesagt wurde? Diese Frage ist ein Entfernungsmesser.

Wie das zu verstehen ist? So: Ich will wissen, wie weit wir uns schon von den Methoden der autoritären Regierung entfernt und wie viel wir bis zur Erreichung der vollen demokratischen Rechte noch zurückzulegen haben.

Wird nun die oben schüchtern gestellte Frage aus diesem meinem ersten Nachkriegsartikel entfernt, so stehen wir der Vergangenheit noch beängstigend nahe. Läßt man sie aber: konnte es dann eine charmantere Beweiserbringung geben, daß die neuen Mächte es mit unserer Freiheit ernster meinen als die alten?

Haben wir eigentlich schon das Recht der freien Meinungsäußerung? Ja? Nein? Nicht zutreffend? Und was kommt durch diese Frage ins Rollen?

Ich habe schon lange nicht mehr soviel gefragt. Wahrscheinlich bin ich angesteckt.

Ja, ja, der Bürger trägt jetzt wieder die ganze allgemeine Beantwortung für das Wohl und Wehe des Staates. Seine Zeit ist wieder voll ausgefüllt wie der Fragebogen, der sie ihm wegnimmt.

Ich aber, der Fragwürdigste aller überhaupt in Frage kommenden, kann gar nicht genug Formulare erhaschen: selbst noch in dieser Formulierung bleibt es ein unbeschreibliches Gefühl: Wieder schreiben und widersprechen zu dürfen! (...)

Und dann kam der letzte Abend des Jahres 0.

Silvesterrede 1945

Ein Jahr ist wieder einmal unterm Hammer: »Tausendneunhundertfünfundvierzig zum ersten ...« Keiner bietet mit. »Zum zweiten – und zum ...«

»Neunzehnhundertsechsundvierzig!« ruft endlich einer. Und dann alle: »Neunzehnhundertsechsundvierzig!«

Können wir Deutschen diesem fünfundvierzigsten Produkt des zwanzigsten Jahrhunderts eine Träne nachweinen? Nein, denn wir haben keine mehr.

Mit diesem Jahre, meine lieben Freunde, geht ja so sehr viel mehr zu Ende als ein Jahr. (Wer rief da eben: Unsere Vorräte? Die gehen wohl erst im nächsten zu Ende.) Ich wollte sagen, nicht ein Jahr allein, sondern zweimal sechs Jahre sind abgelaufen. Sechs Jahre Frieden! (Ah, man hat vergessen, Denkmäler zu errichten für die Gar-nicht-genug-Krieger dieser Friedensjahre, Kriecherdenkmäler ...) Und sechs Jahre Krieg. Gegen Europa sind wir damals ausgezogen, für Europa werden wir jetzt ausgezogen.

Am Anfang dieses Jahres waren wir noch reich. Ich buchstabiere jenes Reich: R wie Ruhmsucht, E wie Eitelkeit, I wie Irrtum, C wie Cäsarenwahn, H wie Heroeninflation. Jetzt am Ende sind wir das Gegenteil von reich. Es ist längst Wirklichkeit geworden, was vor ein paar Jahren als Flüsterwitz kursierte: Daß ein Optimist gesagt: »Nach dem Kriege werden wir alle betteln gehen«, und ein Pessimist geantwortet hätte: »Bei wem denn?« O du traurige, o du armselige, schadenbringende Nachkriegszeit.

Unser Schicksal steht auf der Kippe, und vielen wird die Kippe zum Schicksal. Und wenn sie nur zu einem Zuge reicht, so ist das gleich ein Luxuszug, der durch die Lunge fährt wie durch die Riviera. (Ein neuer Opernfilmstoff für Leni Riefenstahl: »Tiefstand«)

Alles stockt. Unser Absatzmarkt ist hin. Das einzige, was noch laufend abgesetzt wird, sind Pg's. Aber deren Devisen sind nun nichts mehr wert. (Wir kapitulieren nie! Der Sieg ist unser! Sieg oder Tod!) Nur die Schieber kommen voran, und nichts ist sicher vor ihnen. (Sollten heuer nicht sogar schon die Wahlen verschoben werden?) Wie wollen wir da unsere Schulden bezahlen?

Die Optimisten in Reinkultur singen zwar: »Es geht Dalles vorüber, es geht Dalles vorbei.« Aber die Pessimisten singen: »Wien, Wien, nur du allein, willst einen Siebzigmilliardenschein.« – O jeggerl, das Weaner Herz schlägt eisern zu. Wir sollen's wieder golden machen.

Wenn uns dieser Phantasiepreis nur damals schon gesagt worden wäre – wahrhaftig, wir hätten ihnen ihren starken Mann aus Braunau bestimmt nicht abgenommen!

»Aber wir kommen schon wieder hoch«, sagte der Steuermann des gestrandeten Luftschiffes, als es explodierte.

»Es wird schon gehen«, sagte der Draufgänger und ging drauf.

Es wird noch manches Kopfzerbrechen geben über diese Frage, und wir Teutonen sind nun mal dran gewöhnt, eher einander die Schädel als einen vernünftigen Weg einzuschlagen.

Nun kommen sie auch schon wieder mit Ränken und Listen. Hie Föderalisten, hie Zentralisten. (Im Hintergrund mit Blechbrust und Schienen erscheinen Guelfen und Ghibellinen.)

Wollen wir nicht noch rasch ein Silvesterspielchen machen? Ich schlage das Echospiel vor vom »Bürgermeister von Wesel«.

Alter Scherz wird wieder jung. Mach doch mal einer die Türe auf zu diesem langen Gewölbe. Und jetzt rufen wir: »Wesel!«

(Habt ihr's gehört: »Esel«.) Nunmehr soll uns dieses Echo ein paar Fragen beantworten:

»Was könnte uns ein Zentner Zigaretten?« (Hört ihr's? »Retten.«)

»Was wäre Deutschland heute ohne Rosenberg und Streicher?« (»Reicher.«)

Aber still, lärmt es nicht schon draußen? Wieviel ist jetzt die Uhr? Verzeihung, ich vergaß – wir haben ja kaum noch welche. Früher gingen uns allenfalls die Uhren nach, jetzt gehen wir dafür den Uhren nach. Ei, so müssen wir eben aufpassen, was die Glocke geschlagen hat. Läuten sie nicht schon? Nein. Dann ist noch Zeit für eine kurze innere Sammlung. Endlich wieder einmal eine Sammlung, die restlos dem Friedenswerk zugeführt werden kann. Seid ihr gesammelt? So lasset uns deklinieren: »Der Mut, des Mutes, Demut.« So schnell und leicht wandelt sich das Glanzstück des Heldenstücks zum Hauptstück des Christentums, wenn der Humor die kleine Beugung des Mutes vornimmt. Mit

Demut wollen wir uns – fast hätte ich gesagt: erheben. Das ist aber hierzulande ein zu gefährliches Stichwort für unsere Massen. Laßt uns also lieber sanft aufstehen von unsern bescheidenen Plätzen und unsere Bezugsscheine feierlich in die Hand nehmen, unsere Berechtigungsscheine für ein Sektglas. Noch nie waren wir so vorbereitet, das neugeborene Jüngste des alten Chronos trockenzulegen, ja trocken wie Henkell.

(Wein, Wein, nur du allein, brächtest uns selig ins Neujahr hinein.)

Das Alte stürzt, und neues Leben – wollen wir hoffen. Aber wenn wir Pech haben, blühen uns neue Ruinen.

Hört, liebe Freunde, sie rufen es jetzt aus, das neue Jahr. Die Toren johlen und jubeln. Die Weisen lächeln und zittern.

Sei gegrüßt 1946! (Du hast eine angenehme Lizenznummer. Mit einer geraden Quersumme. Deine Vorderbeinchen ergeben eine Zehn und deine Hinterbeinchen auch eine.)

Laß uns in Frieden! Wende unsere Not, gib uns neue Illusionen!

Du sollst leben: Neunzehnhundertsechsundvierzig! Wovon allerdings, das wissen Gott allein und der Kontrollrat.

Jürgen Kuczynski

Brief aus dem Westen Deutschlands

Die ›Frankfurter Allgemeine Zeitung‹ nennt ihn einen »Querdenker und fröhlichen Marxisten«, und bis zuletzt gilt Jürgen Kuczynski als ›Ein linientreuer Dissident‹, so der Titel seiner Memoiren, der DDR. Der 1904 geborene Kuczynski studiert Philosophie, Statistik und Politökonomie in Erlangen, Berlin und Heidelberg, und noch während seines Studiums entdeckt Kuczynski sein Thema, dem er in lebenslanger Produktivität verhaftet bleibt: die Geschichte der Lage der Arbeiter. 1930 tritt er der moskauhörigen KPD bei, nach der Machtübernahme durch Hitler 1933 geht er in den Untergrund. 1936 flieht er nach England.

Nach 1945 wieder in Berlin, profiliert sich Kuczynski als marxistischer Gesellschaftswissenschaftler und Wirtschaftshistoriker. Seine Bibliographie weist nahezu viertausend Veröffentlichungen aus, von denen, wie er selbst stark untertreibend erklärt, »nur« etwa einhundert Bücher oder stärkere Broschüren sind. Herausragend sein vierzigbändiges Hauptwerk ›Geschichte der Lage der Arbeiter‹ sowie seine im hohen Alter von 70 bis 75 Jahren publizierte zehnbändige ›Geschichte der Gesellschaftswissenschaften‹. Anschließend beginnt er mit der Veröffentlichung eines fünfbändigen Werkes über die ›Geschichte des Alltags des deutschen Volkes‹. In der DDR bekleidet er zahlreiche Leitungsämter im Wissenschaftsbetrieb, eckt gleichwohl immer wieder bei den Machthabern an. In der Ulbricht-DDR wird er als »Revisionist« attackiert, nachdem er in den Jahren 1956/57 in einigen wissenschaftlichen Arbeiten versucht hat, die marxistisch-leninistischen Gesellschaftswissenschaften aus ihrer stalinistischen Starre und Formalisierung zu befreien. In der Folge wird Kuczynski aus allen Spitzenämtern in Politik und Wissenschaft entfernt, auch sein Volkskammermandat muß er niederlegen. Jürgen Kuczynski stirbt 1997.

Lieber Freund!

Verzeih, daß ich Dir auf Deinen letzten Brief erst so verspätet antworte. Doch die Ursache ist nicht Vergeßlichkeit. Ganz im Gegenteil habe ich in den letzten Wochen Deiner oft gedacht, und als wir bei Mainz über den Rhein fuhren, habe ich den Helm abgenommen, Dir und der Freunde vom Siebten Kreuz zu Ehren.

Doch Mainz war nicht das Einfahrtstor in die Wüste, die Deutschlands Städte heute darstellen. Dort hatte die problemlos schöne Landschaft den Eindruck gemildert. Wie anders Bergzabern, wo wir die deutsche Grenze überschritten! Vor vielen Jahren kam ich auf einer Reise durch die Vereinigten Staaten in die westlichen Berge, wo Jahrzehnte zuvor in wenigen Wochen und Monaten Städte entstanden waren, weil Gold entdeckt worden war. Als die Goldlager erschöpft waren, verzogen sich alle, die Goldgräber wie die Huren, und was blieb, waren die Schatten einer wilden Vergangenheit. Geister-Städte nennt man diese einsamen Ruinen. Solch eine Geister-Stadt war Bergzabern. Doch war sie viel furchtbarer als jene. Die Ruinen waren frisch, in wenigen Tagen geschaffen; überall sah man Spuren der Menschen, die vor kurzem noch hier gelebt. Die Wände, die noch standen, waren geborsten, und manchmal hing an ihnen schief ein einsames Bild. Auf den Feldern standen hie und da noch Pflüge. Doch kein Lebewesen, nicht Mensch noch Haustier, war zu sehen. Das war der erste Eindruck von Deutschland.

Es sah besser aus in den Dörfern und kleineren Städten, die wir später durchfuhren. Groß war die Zerstörung auch dort, doch sah man wenigstens Menschen: zumeist Frauen und Kinder und alte Leute. Die erste große Stadt, in der wir längere Zeit blieben, war Ludwigshafen. Wenn Du durch die Außenbezirke gefahren bist, doch noch durchaus fern vom Zentrum der Stadt, findest Du kein Haus mehr, das noch bewohnbar – mit Ausnahme des Kellers. Und wie in Ludwigshafen, so in Mannheim, in Köln, in Karlsruhe, Würzburg, Heilbronn, Nürnberg und so vielen anderen Städten. Die Deutschen sind Kellerbewohner geworden.

Kellerbewohner; doch von besonderer Art. Sie sind im allgemeinen besser gekleidet als die Menschen in England oder in Frankreich: elegante Strümpfe von Kunstseide; fröhliche bunte Farben für Rock und

Bluse; gute Regenmäntel; saubere, nicht geflickte Arbeitskleidung. Sie sehen im allgemeinen gut genährt aus. Die Rationen waren ausreichend bis Ende des letzten Jahres. Ausnahmen sind die alten Leute, die schneller auf den rapiden Abfall seit Dezember und Januar reagieren und von denen viele bald sterben werden. Ausnahmen sind auch alle die, die einen besonderen Schock von den Fliegerangriffen davongetragen haben; neben frisch aussehenden, sauber gekleideten Kindern siehst Du andere, die bleich und schmal sind mit übergroßen Augen und bisweilen tiefen Furchen im Gesichtlein, wie Greise.

Auf den Straßen und Wegen, die wir über Land fuhren, begegnen Dir kleine Handkarren, Dutzende, Hunderte, auf denen Familien ihre Habe fahren von einer Kellerwohnung in eine andere, die vielleicht weniger feucht und dumpf, oder zurück in die Stadt oder das Dorf, aus dem sie geflüchtet waren. Als die Alliierten nach Köln kamen, waren dort noch vierzigtausend von den ursprünglich nahezu eine Million Einwohnern. Heute sind es wieder Hunderttausend. Nur eine größere Stadt sah ich, die unberührt war: Heidelberg.

In Köln fand ich auf deutsch und englisch an einem großen Platz eine Tafel, ein Zitat aus einer Rede Hitlers, in der er etwa gesagt hatte: »Gebt mir vier Jahre Zeit, und Ihr werdet Deutschland nicht wiedererkennen.« Und er hat recht gehabt. Deutschland ist nicht wiederzuerkennen. Das Hitler-Regime hat Deutschland zerstört, furchtbarer als es im Siebenjährigen Krieg geschah, schlimmer noch als im Dreißigjährigen Krieg.

Aber wie viele Deutsche erkennen das? oder richtiger: Wie wenige!

Eine Bauersfrau, die wir nach dem Wege fragten, fing an zu schimpfen, daß die sich zurückziehenden deutschen Truppen die letzte Brücke zerstört hatten, die über den Fluß ging, »und bei der Übermacht der Amerikaner hatte das doch gar keinen Zweck mehr!« – In dem riesigen Gebäudekomplex des IG Farbenwerkes in Ludwigshafen sah man eines Tages einen älteren Arbeiter Schutt wegkehren im zweiten Stock eines halbzerstörten Hauses. Eine kleine Gestalt, gebückt und eifrig säubernd einen winzigen Fleck in einer industriellen Wüste. Als man ihn fragte, was er da mache, sagte er, daß er an dieser Stelle seit 20 Jahren gearbeitet hatte, und »man muß doch irgendwo anfangen, was Nützliches zu tun«.

Hier sind Anknüpfungspunkte. Es ist leicht zu diskutieren und die ersten Schritte auf dem Weg zur Selbstbesinnung zu führen, wenn sich solche Gelegenheiten bieten; und sie sind zahlreich. Doch wie oft auch trifft man auf stumpfe Sturheit, sinnloses Nebenherleben an den Ereignissen vorbei oder servile Falschheit.

Wie viele Direktoren großer und größter Betriebe habe ich gesprochen – und nicht ein einziger war ein »wirklicher Parteimann« gewesen! Sie alle haben heute an der Vergangenheit zu kritisieren; sie alle wollen heute mit den Alliierten »zusammenarbeiten«, sie alle fühlen sich unabkömmlich, und wenn einer zu seinem eigenen Erschrecken von den »Terrorangriffen« der Alliierten spricht und sich dann rasch verbessert, so sind zehn andere gewandt genug, sich so lange zu krümmen, bis sie die »Meisterleistungen der Alliierten Bomber« über ihren eigenen Fabriken bewundern.

Und wieder andere sprach ich – Männer und Frauen aus akademischen Kreisen, die 1933 Mut gezeigt und ihre Lehrtätigkeit aufgeben mußten. Sie schrieben ungedruckte Bücher und lebten von ihrer Pension still für sich. Der Vormarsch der Alliierten hat sie von den Fesseln befreit, die ihnen der Faschismus auferlegt. Doch noch liegt es ihnen fern, selbstkritisch zu ihrer eigenen Haltung Stellung zu nehmen, vor allem auch vor 1933. Gar zu oft glauben sie, gleichsam als hätte die Welt stillgestanden, dort fortfahren zu können, wo sie 1933 aufgehört. Und einer von ihnen, der 1933 wirklich politisches Rückgrat bewiesen, klagte leise über die Störungen, die die Requisition von Teilen der Universität für die einmarschierenden Truppen in Anbetracht der gerade stattfindenden Examensprüfungen darstelle.

Noch andere kann man finden; doch ihrer sind weniger als in irgendeiner anderen Gruppe: sie haben zu begreifen angefangen, was vorgegangen, vielfach besser als manche, die die letzten Jahre in der Emigration verbracht, was vorgegangen, und auch was geschehen muß; sie erkennen, welches heute die Stellung des deutschen Volkes im Kreise der Nationen ist und was das deutsche Volk leisten muß, um wieder in den großen Strom fortschrittlichen Vorwärtsstrebens einzugehen.

Einmal fuhr ich den Rhein herauf – den schönen Teil, von Mainz nach Köln. Auf den Bergen stehen die Ruinen alter Burgen unverändert wie zu den Zeiten, als wir jung waren, wie vor hundert und zweihundert Jahren. Doch im Tale ist so vieles zerstört. Schiffe sind versenkt und die Wellen des Rheins spülen über die Opfer der Hitlerei. Viele der Städte, kleine und große, haben schwer gelitten. Die wohlerhaltenen Ruinen schauen herab auf zerbrochene Wände häßlicher Parteigebäude und Verwaltungsbauten der Vor-Hitlerzeit. Auch gute Bürgerhäuser sind vernichtet. Und Tausende von nichtssagenden, doch nützlichen Wohnungen sind verschwunden. Kinder stehen am Rande des Weges und grüßen und winken Dir; alte Frauen arbeiten auf den Weinbergen, da die Männer tot oder gefangen oder noch im hoffnungslosen verbrecherischen Kampf, sie seien denn Greise oder Invaliden; kleine Gruppen französischer Arbeiter, einst nach Deutschland zwangsdeportiert, marschieren mit einer Trikolore voran über den Fluß, der Heimat zu. Nur die Landschaft vor Dir ist ewig schön und problemlos. Und sicher wie der Landschaft bist Du auch in Deinem Glauben, daß kein Volk verloren ist, auch nicht das deutsche, auch nicht nach alledem, was in den letzten Jahren geschehen, wenn es noch Männer und Frauen sein eigen nennt, die den rechten Weg kennen, und dessen Schicksal mitbestimmt wird von den fortschrittlichen Kräften der ganzen Welt.

Ich habe viel über Deinen letzten Brief nachgedacht, in dem Du Fragen stelltest, auf die ich ganz klare Antworten zu haben glaubte. Als ich nach Deutschland kam, da fand ich, daß ich für viele Fragen die Antwort parat hatte – aber die Fragen wurden niemals gestellt; und viele Ausrufungszeichen begegneten mir, wo ich niemals gefragt hatte. Natürlich sah ich bisher nur einen kleinen Ausschnitt des Landes und sprach nur wenige Menschen, und diese wieder häufig aus Schichten, die nicht die Mehrheit des Volkes darstellen.

Doch einiges ist mir klar geworden. Die Menschen, die ich sprach, waren abgeschnitten seit vielen Jahren von allem, was uns als normales Leben, Denken und Fühlen erscheint. Heute wohnen die meisten in Kellern und haben ihren kleinen Besitz verloren. Es gibt kaum Zeitungen, die sie unterrichten, und keine Broschüren und Bücher. Sie sind zumeist arbeitslos, und für die Kinder gibt es keinen Unterricht. Die Läden, soweit sie noch erhalten, sind geschlossen, es sei denn, sie verkaufen Brot, Fleisch und Gemüse. Die Menschen sind niedergeschlagen im physischen und psychischen Sinne – oder stur und versteinert gleich grotesken Fratzen. Wenn man zu ihnen spricht, muß man anknüpfen an das Unglück, das über sie gekommen, und ihnen zeigen, wie es so kommen konnte und mußte. Hinweisen auf den verbrecherischen Charakter der Hitler-Regierung und auf die Mitschuld, sie geduldet und unterstützt zu haben. Aufzeigen dann das Unglück, das Deutschland über die ganze Welt gebracht hat, und deuten den Weg in die Zukunft, den Weg der Sühne und der Reinigung und Wiedergeburt zugleich. Aber anfangen, anknüpfen, ganz konkret und einfach und real bei dem Leben, das die Massen des Volkes heute führen! Ihnen zu kommen mit abstrakten, allgemein politischen Reden, so wohlmeinend sie sein mögen – oft sind sie nur der Ausdruck kühler und billiger Entfernung vom wahren Leben des Volkes – heißt, über sie hinweg, an ihnen vorbei sprechen. In Paris las ich wieder in den Schriften, die die Freien Deutschen dort veröffentlicht, und in London durchblätterte ich die letzten Hefte Eures Freien Deutschland, und es war gut zu sehen, wie oft der richtige Ton getroffen war.

Der Brief ist lang geworden, lieber Freund, und es wäre besser gewesen, wenn ich, Deinem Rate folgend, plötzlich bei Dir im Zimmer erschienen. Vieles wäre klarer gesagt worden, und du hättest manches, das wesentlich, aus mir herausgeholt, was hier vergessen, weil Du nur in Gedanken mir gegenübersitzt. Wenn ich wieder schreibe, wird sicherlich vieles mir selber deutlicher und verständlicher sein. Alles, alles Gute Dir und Deiner Familie,

Dein Jürgen Kuczynski

Max Steenbeck

Lernen aus Erlebtem

Der 1904 geborene Physiker Max Steenbeck gewinnt internationalen Ruf durch die Entdeckung der zweiten, entscheidenden Stabilitätsformel für die Elektronenschleuder. Seit 1934 bei den Siemens-Schuckert-Werken in Berlin tätig, ist er ab 1943 als technischer Leiter für das Arbeitsgebiet Gasentladungsphysik verantwortlich.

Nach kurzer Internierung geht er nach Moskau, wo er zwischen 1945 und 1956 an der Entwicklung des sowjetischen Atomprogramms beteiligt ist. 1956 wird er Professor für Physik des Plasmas an der Universität Jena, in den folgenden Jahren leitet er verschiedene physikalische Institute und bekleidet mehrere Ämter im Wissenschaftsbetrieb der DDR. So ist er von 1962 bis 1966 Vizepräsident der Akademie der Wissenschaften der DDR, seit 1965 Vorsitzender, ab 1978 Ehrenvorsitzender des Forschungsrates der DDR. Max Steenbeck stirbt 1981.

In den ersten Novembertagen des Jahres 1938 waren meine Frau und ich auf der Suche nach einer schönen Stehlampe. Meine Frau sollte sie als Geschenk zu ihrem Geburtstag bekommen, aber wir wollten sie doch gemeinsam aussuchen. Schließlich fanden wir in einem Laden in der Nähe des Zoos eine formschöne und standfeste Lampe, nur der Schirm gefiel mir noch nicht so ganz. Um nun doch noch wenigstens eine kleine Geburtstagsüberraschung machen zu können, fand ich eine Gelegenheit, mit dem Geschäftsinhaber allein zu sprechen und ihn zu bitten, die Lampe mit einem anderen, von mir ausgesuchten und noch schöneren Schirm am Abend vor dem Geburtstag in unsere Wohnung zu liefern. Ich bezahlte alles, und wir beide, meine Frau und ich, waren glücklich und vergnügt.

Einige Abende darauf hörten wir in unserer Siemensstädter Wohnung den Londoner Rundfunk. Wir taten das häufig; natürlich wußten wir, daß es verboten war. Aber das, was wir so erfuhren, war doch eine Ergänzung zu dem, was unsere Zeitungen und unser Rundfunk brachten, wenn wir diese Nachrichten auch meistens als reine Hetze gegen unser wieder aufblühendes Deutschland auffaßten. An diesem Abend hörten wir nun ganz schreckliche Sachen – von einer großen gewalttätigen Zerstörung jüdischer Geschäfte, von brennenden Synagogen; die Straßen seien voller Menschen, die randalierend Schaufenster einschlügen, Geschäfte demolierten, Möbel aus den Fenstern würfen, Juden mißhandelten. Diese Nachrichten mußten völlig verlogen sein, denn bei uns in Siemensstadt war alles ruhig, und wir konnten aus den Fenstern unserer Wohnung nirgends einen Feuerschein erblicken. Aber die Nachrichten wurden immer detaillierter; sogar Dinge, die erst vor einer halben Stunde geschehen sein sollten, wurden schon als angebliche Augenzeugenberichte von London gemeldet: Das konnte doch alles nicht stimmen, und so fuhren wir schließlich in die Stadt hinein, um uns davon zu überzeugen, wie verlogen wieder einmal unser Deutschland verleumdet würde.

Wir kamen in die Stadt – und alles, was wir gehört hatten, war wahr, unfaßbar und beschämend. Wir konnten nicht durch alle Straßen der Berliner Innenstadt so fahren, wie wir wollten; denn manche waren verstopft von Menschen, viele von ihnen in SA-Uniform, oder es lagen so viele Glasscherben auf der Fahrbahn, daß die Reifen unseres Wagens zerschnitten worden wären. Wir kamen auch an dem Geschäft vorbei, in dem wir wenige Tage vorher unsere Lampe gekauft hatten. Nicht nur die Schaufenster waren eingeschlagen, die ganze Ladeneinrichtung war demoliert, alle schönen Lampen – darunter sicher auch unsere – zertrümmert, zertreten, verwüstet. Es war nicht zu begreifen. War das unser Deutschland?

Drei Tage nach dem Geburtstag meiner Frau klingelte es an unserer Wohnung; der jüdische Geschäftsinhaber selbst brachte uns unsere Lampe mit dem neuen Schirm; sie sei schon in die Werkstatt hinter dem Laden gebracht worden und deswegen der Zerstörung entgangen. Ich hätte sie bezahlt, und sie gehöre also mir. Ein Wort des Dankes, des Bedauerns nahm er nicht an, sagte kein weiteres Wort und ging; was aus ihm geworden ist, weiß ich nicht, ich weiß nicht einmal seinen Namen mehr.

Das ist eines der Erlebnisse, die mein Leben stark beeinflußt haben – im Nachhinein, beim viel späteren Bilanzziehen über mein eigenes Tun und Denken in dieser Zeit; denn eine nachhaltige Wirkung kam durchaus nicht sofort, schon mit diesem Erlebnis selbst. Zunächst war mein Denken noch viel bequemer: Sicher, das alles war abscheulich, eigentlich unbegreiflich; aber ich war doch an diesem Geschehen in der Kristallnacht – so hieß das bald allgemein in verniedlichender Umschreibung – gar nicht beteiligt und konnte also auch keine Schuld daran haben. Ich hatte mich ja auch nicht von meinen jüdischen Kollegen zurückgezogen, wie andere das gemacht hatten. Diese Kollegen selbst waren ja von sich aus immer zurückhaltender geworden, vermutlich, um uns keine Schwierigkeiten zu machen, wenn sie dann emigrierten. – Nein, so waren wir nicht, wir deutsches Volk. Judenpogrome hatte es in unserer Geschichte schon oft gegeben; wir glaubten zwar, so etwas sei längst überwunden, und das war also ein Irrtum. Aber alles würde schon irgendwie zurechtkommen. Wichtig war, selbst sauber zu bleiben, sich nicht an solchen Dingen zu beteiligen.

Ein Jahr später war Krieg. Vor den Zerstörungen, der Gewalt und dem Sterben, das nun in die Welt gekommen war, verblaßte diese Novembernacht, verschwand aus dem Denken; meine jüdischen Kollegen waren ohnehin schon alle ausgewandert.

Eines Nachmittags – ich war allein in unserer Wohnung – kam der Bruder eines dieser früheren Kollegen zu mir, begleitet von einer gemeinsamen Bekannten. Ich hatte vorher nie von ihm gehört, aber die Ähnlichkeit war unverkennbar. Auch er hatte schon lange keine Nachricht von seinem Bruder bekommen und wußte nur, daß er jetzt in England ziemlich ärmlich lebe. Schrecklich, diese ganze Entwicklung. Ihm selbst ginge es auch nicht gerade glänzend, aber er käme schon zurecht. Wir tranken eine Kleinigkeit zusammen. Dann gingen die beiden wieder. Er solle nur gern einmal wiederkommen. Er ist nicht wiedergekommen, er ist überhaupt verschwunden. Was er von mir wollte oder erhoffte, davon hat er mit keinem Wort gesprochen, und selbst bin ich damals nicht darauf gekommen.

Natürlich, viele der emigrierten Kollegen arbeiteten jetzt im Krieg gegen uns; wir wußten z. B., wer den raffinierten Zündmechanismus bei den magnetischen Luftminen konstruiert hatte, die unserer Marine so viele Schwierigkeiten machten; dieser Mann war auch früher schon in Breslau ein findiger Bursche gewesen. Wahrscheinlich gab es in dieser Art noch viel mehr, vielleicht auch immer noch Kontakte. Konnte es da, jetzt im Kriege, nicht doch nötig sein, die Juden zusammenzuziehen und unter Aufsicht arbeiten zu lassen? Man mußte so etwas ja nicht gleich Ghetto nennen.

Im Grunde war das auch noch meine Einstellung, als der große Zusammenbruch dann mich mit meiner Familie an das Schwarze Meer geblasen hatte. Wir waren dort eine Anzahl deutscher Fachleute, die zusammen mit sowjetischen Spezialisten an dem nach Hiroshima und Nagasaki aktuellsten Problem arbeiteten. Ich tat das von Anfang an mit vollster Hingabe. Natürlich hatte ich schon lange um die theoretische Möglichkeit gewußt, mit einer Kettenreaktion die Energie der Urankerne zu fürchterlicher Zerstörung auszunutzen; aber die Tatsache, daß das in diesen beiden Städten auch wirklich getan worden war, bedeutete vom ersten Augenblick an, als ich im Internierungslager davon erfuhr, eine Erschütterung, die alle sonstige Apathie durchschlug. Das *darf* sich nicht wiederholen, und es wird sich nicht wiederholen, wenn die Gegenseite mit Vergeltung antworten kann – genau wie beim Giftgas, das ja darum im zweiten Weltkrieg gar nicht erst angewandt worden war. Der Besitz von zwei, drei, vielleicht sogar zehn solcher Bomben in den Händen der Sowjetunion mußte dazu wohl ausreichen. Aus irgendeiner Sympathie für den Kommunismus habe ich mich jedenfalls dieser Aufgabe damals sicher nicht gestellt. Gegen Deutschland, das als Machtfaktor für unabsehbare Zeit ausgeschaltet war, konnten sich diese Arbeiten ja ohnehin nicht richten.

So arbeiteten wir unter uns zwar verständlicher, aber darum noch keineswegs bequemer Aufsicht in einem abgegrenzten Territorium. Materiell war unsere Situation von einer Großzügigkeit, die uns zunächst fast unwahrscheinlich vorgekommen war; aber an so etwas gewöhnt man sich schnell und hält es bald für selbstverständlich. Sonst aber trennte uns – jedenfalls zunächst – vielfach noch eine Wand auch von den meisten unserer sowjetischen Kollegen. So lebten wir nach der damaligen Auffassung vieler von uns Deutschen doch beinahe wie in einem Ghetto, als Menschen, die man braucht, weil deren Leistung respektiert wird.

Unter meinen sowjetischen Mitarbeitern war es vor allem ein Mathematiker, zu dem sich ein auch persönlich vertrautes Verhältnis entwickelte. Er war bewußter Jude, Sohn eines Rabbiners, ein vielseitig interessierter, kluger Kopf mit warmem Herzen. Ihm gegenüber sprach ich einmal – den Anlaß habe ich längst vergessen – diesen Gedanken von unserem Ghetto-Leben aus. Seine Antwort habe ich allerdings nicht vergessen: »Ich glaube, Sie wissen wirklich nicht, was Sie sagen«, und dann sprach er – nach fast einem Jahr freundschaftlichen Verkehrs – das erste Mal davon, daß sein Vater, seine Mutter, zwei Schwestern und ein Bruder in Weißrußland einen Tag nach der Besetzung durch die Deutschen als Juden erschossen worden waren. Ihm glaubte ich; das war nicht böswillige »Feindpropaganda«, sondern die besorgte Mahnung eines Freundes.

Es war keineswegs die erste Aufforderung, aus einer Bewußtseinsspaltung aufzuwachen, in die sich so viele Deutsche gerettet hatten, um die grausame Schuld nicht anerkennen zu müssen, welcher sich auch ein Deutscher nicht entziehen kann, der persönlich sauber geblieben war oder doch ernsthaft versucht hatte, es zu bleiben. Nun kam das stille und doch so quälende Bilanzziehen über das eigene vergangene Tun und Denken mit der bitteren Erkenntnis, daß eine Schuld nicht nur im Tun, sondern oft mehr noch im Unterlassen liegen kann. Das tat weh – vielleicht gerade deswegen, weil es in dieser Bilanz keineswegs nur Negatives gab; manches, bei dem ich mit mir zufrieden sein konnte, weil es zu tun Mut gefordert hatte, sagte jetzt nur um so deutlicher: Du konntest doch auch anders. Das sagten auch, auftauchend aus der Tiefe des Verdrängten, der Lampenhändler und der Bruder meines jüdischen Kollegen, das sagten mir viele andere Erinnerungen, und keineswegs nur um die Judenfrage.

Die eigentlichen Situationen, in denen du zeigen mußt, was in dir steckt, erwachsen fast immer aus dem Alltäglichen; plötzlich stehen sie vor dir; du hast keine Zeit, dich auf eine Rolle vorzubereiten. Großes kann der einzelne selten leisten. Das Schicksal des Lampenhändlers oder des Bruders meines jüdischen Kollegen hätte ich kaum ändern können.

Jawohl, sie taten mir leid, und das zeigte ich. Was denn hätte ich mehr tun können? – Ihr Schicksal war nicht meines; solches Denken merkten sie, auch wenn ich es nicht aussprach. Mitleid ist noch nicht mitleiden. Mitleid ist meist nur ein Alibi, das man sich selbst ausstellt, und seine Hilfe bleibt Almosen. Erst Mitleiden ist Hilfe ohne Demütigung, Hilfe selbst dann, wenn sie am Tatsächlichen nichts ändern kann; sie erlöst aus der Kälte des Verlassenseins. Wenn fremde Not an deine Tür klopft und du versagst dich, dann versagst du.

Aber nicht dies – so wichtig es auch für unser Leben ist – war das Wesentliche, was ich bei der Selbstprüfung erkannte. Wenn fremde Not erst an *deine* Tür klopfen muß, damit du sie siehst, bleibt dein Denken immer noch ichbezogen, und dann kann, ohne daß du es siehst, dein Tun immer noch fremde Not schaffen, kann dein Denken oder besser dein Nichtdenken oder Nichtzuendedenken sie verstärken. Du mußt dich erkennen als einen Teil der Gesellschaft, für die auch du Verantwortung trägst, und du mußt nach einer Gesellschaft mit einer Ordnung streben, die das Leid anderer nicht als das unvermeidliche Gegenstück für eigenes Wohlergehen hinnimmt. So wurde ich Sozialist. (…)

Christiane Frommann
Elisabeth Taubert

Im Jahre 1976 schreibt der Berliner Senat einen Wettbewerb unter älteren Berlinern unter dem Titel ›Berlin nach dem Krieg – wie ich es erlebte‹ aus. Die Teilnehmer sollen ihre Erinnerungen an die Zeit des Kriegsendes und der unmittelbaren Nachkriegszeit aufschreiben. 812 Menschen beteiligen sich an dem Wettbewerb, und es sind nicht nur Menschen aus dem westlichen Teil Berlins darunter, sondern die Erlebnisberichte und Alltagsgeschichten kommen aus dem Ostteil der Stadt ebenso wie aus dem europäischen Ausland, den USA, Südafrika, Kanada und Israel. Christiane Frommann, geboren 1907, erringt mit ihrem Text den 1. Preis, die ebenfalls 1907 geborene Elisabeth Taubert den 2. Preis.

Christiane Frommann

Erstes Lebenszeichen

1. Brief

Mein lieber Mann,es ist also wahr: Du lebst, und ich darf Dir schreiben. Auch wenn Du heute noch unerreichbar weit fort bist, bin ich nun nicht mehr allein. Es ist wie ein Wunder, und wie reich bin ich gegenüber den Millionen Witwen, die ohne Hoffnung ihre Kinder in diesen schweren Zeiten großziehen müssen.

Es geht uns den Verhältnissen entsprechend gut. Ich sehe fast wie ein Skelett aus (Du hättest keine Freude daran), aber wir sind alle gesund, die Kinder munter und vergnügt, obwohl sie ewig Hunger haben. »Mutti, wann gibt es denn endlich was zu essen?« Immer abwechselnd darf einer den Suppentopf auskratzen. Naht das Ende der Stromsperre, sitzen sie alle vier um das kostbare Hindenburglicht, um es sofort auszupusten. Das macht natürlich »Spaß«, und von den Kindern lerne ich, den kleinsten Dingen Freude abzugewinnen und mich mit unausweichlichen Widerwärtigkeiten abzufinden.

Die Kinder und der Gedanke ans Überleben verscheuchen die Mutlosigkeit, die doch manchmal aufkommt beim Anblick des Trümmerfeldes, das aus unserem schönen Berlin geworden ist, und sie geben einen Funken Hoffnung auf eine bessere Zukunft.

Unsere Lebensmittelzuteilung pro Tag ist folgende: 300 Gramm Brot, sieben Gramm Fett (Kinder 15 Gramm), 30 Gramm Nährmittel, 15 Gramm Fleisch, 400 Gramm Kartoffeln, 15 Gramm Zucker. Die 25 Gramm Bohnenkaffee verkaufe ich und habe damit die Miete raus.

Holz- und Kohlezuteilung keine. Der Herd, der mitten im einzig bewohnten Zimmer steht (Schlaf-, Spiel- und Wohnzimmer und Küche für uns fünf), ist Heizquelle und Kochstelle zugleich. Wir heizen mit dem Holz, das unsere Oma als Trümmerfrau (tapfer wie immer) im Rucksack zu uns bringt.

Kleiderkarte keine. Entsprechend laufen die Kinder in diesem kalten Winter herum. Nun gibt es aber die Hoffnung auf das Wiedersehen mit Dir, und nie wieder eine Trennung nach diesen fürchterlichen sechs Jahren. Weißt Du, ich träume manchmal davon, daß sich alle Frauen auf der ganzen Welt zusammenschließen und sich das Versprechen geben, keinen Vater, keinen Sohn, keinen Mann mehr für einen Krieg herzugeben. Auch wir Frauen haben doch versagt, indem wir die Männer schweigend fortziehen ließen. Das ist der Vorwurf, den ich mir mache: passiv gewesen zu sein. Niemals werden meine Söhne ein Gewehr in die Hand nehmen oder bekommen. Dafür werde ich sorgen mit allen meinen Möglichkeiten und bestimmt wirst Du mir dabei helfen, nicht wahr?

Lieber Hans, mehr als sechs Jahre warst Du nur »Besuch«. Wann wirst Du endlich wieder mein Mann sein? Darauf wartet

Deine Frau

2. Brief

(von Ulli, elf Jahre)

Lieber Vati,wenn Du kommst, springe ich vom Bunkerbrett oben direkt in Deine Arme. Ich versuche bei Mutti Vater-Ersatz zu sein, denn ich bin so praktisch wie Du, und Mutti versteht davon nichts. Gestern haben wir in einem Schutthaufen einen Soldatenstiefel gefunden. Da steckte noch ein Teil vom Bein drin. Wir haben es eingebuddelt neben dem Soldatengrab gegenüber im Vorgarten. In der Schule sitzen wir auf unseren Mappen, weil wir keine Bänke haben. Aber wir bekommen Schulspeisung auf Marken. Komm bald zu uns.

Es grüßt Dich Dein Ulli

3. Brief

(von Jutta, neun Jahre)

Lieber, herzgeliebter Vati,wenn Du wieder nach Hause kommst, bakken wir einen Kuchen. Vorher sparen wir alles zusammen, damit er nicht so trocken wird. In dieser Woche gab es zehn Gramm Hefe. Danach haben wir zwei Stunden angestanden. Aber damit kann man einen Kuchen ohne Fett backen. Schmeckt wunderbar. Wir freuen uns immer, wenn die Schule ausfällt, weil keine Kohlen da sind.

Und Schularbeiten machen wir nicht, weil wir keine Bücher haben. Wenn Du kommst, werden wir alle einen großen Freudentanz aufführen.

Es küßt Dich Deine Tochter Jutta

4. Brief

(von Rainer, acht Jahre)

Lieber, lieber Vati,wir sind wieder nach Berlin gezogen! In Sachsen habe ich in der Schule überhaupt nicht verstanden, was die gesagt haben. Das ist jetzt hier meine dritte Schule. In Ostpreußen war es am schönsten. Der Arndt ist erst vier Jahre und geht noch nicht zur Schule. Bis ich aus der Schule komme, liegt er auf dem Sofa und liest das Wichtelmännchen-Buch. Er hat nämlich keine Schuhe, und ich gebe ihm dann meine. Damit geht er zwei Stunden runter. Länger geht nicht, weil er sonst Blasen bekommt.

Lieber Vati, Du zündest Dir ein Lichtchen an, dann hast Du auch ein Weihnachtsfest.

Viele Grüße von Deinem lieben Rainer

Elisabeth Taubert
Geburtsanzeige per Postüberweisung

Es war der 10. Juli 1945. Mit einem leisen Aufschrei erwachte ich aus unruhigem Schlummer. In der kalten, feuchten Parterrewohnung, die ich als Notunterkunft mit meinen Eltern bewohnte, war es stockdunkel. Die einzige Uhr, die uns verblieben war, zeigte sechs – russische Zeit natürlich, also vier Uhr nachts.

Ich zündete eine Kerze an. Und wieder durchzuckte mich dieser Schmerz. War das denn möglich? Es hätte doch eigentlich noch einen Monat Zeit gehabt.

»Mutti! Vater! Schnell – es ist soweit! Holt die Hebamme!«

Da hatte ich mir gestern beim »Organisieren« von Brennholz aus den Trümmern doch wohl etwas zuviel zugemutet.

Oder hatte die gefährliche und anstrengende Heimkehr aus meinem Evakuierungsort vor zehn Tagen diesen »Notstand« verursacht? Vor einen Leiterwagen gespannt, mit meiner wenigen geretteten Habe, hatte ich die Elbe auf einem Floß überquert und war auf beschwerlichen Wegen in die Heimat gezogen.

Denn nur hier, nur in Berlin, sollte mein Kind geboren werden!

Aber wie fand ich diese Heimat vor: die alte Wohnung arg zerstört und unbewohnbar, das Nachbarhaus völlig niedergebrannt, ringsum Trümmer und Ruinen. Die Eltern unterernährt, deprimiert und ohne Hoffnung. Freunde und Bekannte unauffindbar.

Hier sollte neues Leben entstehen?

Natürlich war die Hebamme nicht erreichbar. Und jetzt mußte ich sogar dem »Mütterhilfswerk« dankbar sein: es hatte mir ein sehr nützliches Büchlein über Geburtshilfe hinterlassen.

Da lag ich nun also mit dem Buch in der Hand, las meiner völlig verstörten Mutter beim Schein einer Kerze die wichtigsten Abschnitte vor und erteilte ihr die nötigen Anweisungen. Mein braves Kind hatte ein Einsehen und machte es uns leicht. Und nach anderthalb Stunden schrie ein kleines Mädchen seinen Protest in diese unerfreuliche Welt!

Dieser erste Schrei veränderte unser aller Leben. Er weckte uns aus Lethargie und Hoffnungslosigkeit: hier verlangte ein neues Leben sein

Recht! Eine neue Berlinerin wollte wohnen, essen, schlafen und geliebt werden. Diese Forderung mobilisierte verschüttet geglaubte Gefühle in uns und weckte neue Kräfte – in uns und unseren Freunden.

Ja, diese Freunde, die wenigen, die in Berlin geblieben waren. Sie mußten erst von dem freudigen Ereignis verständigt werden – aber wie?

Die Post hatte den Briefverkehr noch nicht wieder aufgenommen. An Telefonieren war schon gar nicht zu denken. Aber ein Service bestand – die Geldüberweisung.

Freunde und Bekannte staunten nicht schlecht, als sie eines Tages eine Mark durch Postüberweisung erhielten! Und ihre Augen wurden noch größer, als sie auf dem Zahlungsabschnitt die Geburtsanzeige lasen.

Und auch bei ihnen löste diese Nachricht eine Welle der Aktivität aus. Zu Fuß kamen sie aus entfernten Stadtteilen und ließen es sich nicht nehmen, einen Teil ihrer spärlich bemessenen Zuteilung dem Kind zu schenken.

Die Nachbarin – ausgezehrt und verbittert – woher zauberte sie nur das Fleisch für eine kräftige Brühe?

Der Hauswirt – bis zum letzten Tag strengstens über seine Lebensmittelvorräte im Keller wachend – trennte sich für seine kleine neue Mieterin von einigen Kostbarkeiten.

Und als sogar mein Vater, der von dem Zusammenbruch am schwersten Betroffene, zum erstenmal wieder lächelte – da war das Signal zum Wiederaufbau gegeben!

Die alte Wohnung mußte eingerichtet werden. Schutt wurde weggeräumt, Fenster dichtgemacht, Fußböden ausgebessert. Es störte uns nicht, daß ein großes Loch in der Wand der Außenmauer nur mit Pappe gesichert werden konnte. Wir fanden uns damit ab, daß mitten im Wohnzimmer ein starker Balken die Decke stützen mußte. Ein herrliches Spielzeug für das Kind zum Verstecken, Bemalen und Bilderanhängen. Eine alte Tretmaschine wurde wieder funktionsfähig gemacht und sicherte so die spärlichen Einnahmen für unseren Lebensunterhalt. Als sogar das vom Löschwasser völlig durchweichte Klavier wieder zum Klingen gebracht werden konnte, war unser Glück fast vollkommen.

Was Kolonnen von Trümmerfrauen an Aufräumarbeiten und Wiederaufbau im großen leisteten – hier wurde es im Familienkreis im kleinen betrieben. Zwei instand gesetzte Wohnungen boten wieder Schutz und Unterkunft und zumindest in einem Zimmer Wärme und Geborgenheit.

Was aber mehr wog als diese sichtbaren Zeichen eines Neubeginns, waren der wiedererwachte Mut zum Leben und die Freude am Leben. Und damit leistete dieses kleine Kind schon seinen Beitrag zum Wiederaufbau Berlins.

HANS SAHL

Begegnung mit Deutschland / Die Letzten

Im Grunde sitzt der 1902 geborene Hans Sahl zeit seines Lebens zwischen allen Stühlen. Bereits im Berlin der zwanziger Jahre als Theater- und Filmkritiker eine Größe im florierenden Feuilleton der Hauptstadt, emigriert Sahl 1933 über Prag und Zürich nach Paris. Nach der Entfesselung des Zweiten Weltkrieges für kurze Zeit interniert, flieht er mit einem der letzten Schiffe in die USA. Weil er nicht an die einfache Losung glaubt, wer Stalin kritisiere, spiele Hitler in die Hände, sieht er sich im Exil schnell isoliert. Der Journalist und Schriftsteller Egon Erwin Kisch, blind für die stalinistische Diktatur, wirft ihm vor, das Schlimmste zu sein, was einer Partei passieren könne, nämlich ein »Wahrheitsfanatiker«. Sahl dagegen hält es »für die Logik von Infantilen, daß der Gegner meines Gegners automatisch mein Freund sein müsse«.

Er selbst spricht nach dem Krieg von seinem zweifachen Exil, denn in die am Schicksal der Emigranten denkbar uninteressierte junge Bundesrepublik ruft ihn niemand, und die wenigen, die ihn fragen, warum er nicht komme, »erkundigten sich zugleich höflich / nach dem Termin meiner Abreise« (»Befragung des verlorenen Sohnes«). Sahl schreibt Gedichte, Erzählungen, Theaterstücke, Hörspiele sowie sein als Hauptwerk geltendes ›Die Wenigen und die Vielen‹, das als »der Roman des Exils überhaupt« gelobt wird. Erst spät wird der Literaturbetrieb der Bundesrepublik auf Sahl aufmerksam, innerhalb kurzer Zeit erscheinen in den achtziger und neunziger Jahren viele seiner Texte erstmals in Deutschland, und Sahl, inzwischen fast erblindet, wird endlich die verdiente Anerkennung zuteil. Im Alter von 87 Jahren siedelt Sahl in die Bundesrepublik über. Er stirbt 1993 in Tübingen.

Ich frage mich, warum ich so lange gezögert habe, vom Ende des Krieges zu berichten. Das Ende des Krieges war das Ende unseres Kampfes gegen Hitler, aber der Kampf um Deutschland ging weiter. Das Ende des Krieges war auch das Ende eines Provisoriums, das Amerika hieß. Sollte man es verewigen? Die politische Emigration packte ihre Koffer. Posten waren ausgeschrieben, die Parteien sorgten für ihre Leute: Ernst Reuter kam aus der Türkei zurück und wurde Regierender Bürgermeister von Berlin, Herbert Weichmann aus New York wurde Bürgermeister von Hamburg. Die so lange Unbeschäftigten wurden plötzlich sehr geschäftig, man wollte nicht das Nachsehen haben, wenn man auf der Namenliste derjenigen, die eine Antwort wußten, fehlte. Der Dichter Bert Brecht wußte sie, die Antwort. Er bestieg nach seiner Vernehmung durch das Committee on Unamerican Acitivities das Flugzeug und begab sich über die Schweiz nach Ostberlin, nachdem er die österreichische Staatsangehörigkeit angenommen hatte. Der Philosoph Ernst Bloch blieb dem »Prinzip Hoffnung« treu und folgte einem Ruf an die Leipziger Universität. Zurück blieben die Zauderer, die Zweifler, die Unentschlossenen, die auf die Frage »Was ist die Antwort?« mit Gertrude Stein antworteten: »Was ist die Frage?«

Sechzehn Jahre lang hatte ich auf meine Rückkehr nach Deutschland gewartet. Sie spielte sich erheblich undramatischer ab, als ich es mir vorgestellt hatte. Im Sommer 1949 bat mich Lazar Wechsler, Direktor der »Präsens-Film« in Zürich, in die Schweiz zu kommen. »Ich möchte, daß Sie mit Richard Schweizer an dem Drehbuch zu einem neuen Film, ›Die Vier im Jeep‹, arbeiten«, sagte er. »In Wien wird zur Zeit die Polizeikontrolle von einem Jeep ausgeübt, in dem vier Uniformierte sitzen: ein Amerikaner, ein Engländer, ein Franzose, ein Russe. Ich sehe da eine phantastische Möglichkeit, den Kalten Krieg in Form eines politischen Abenteuerfilms darzustellen. Können Sie kommen? Haben Sie überhaupt Papiere?«

»Ich bin staatenlos, aber ich möchte unbedingt an dem Film mitarbeiten.«

»Ich werde Ihnen durch die schweizerische Gesandtschaft ein gültiges Reisepapier zukommen lassen«, sagte Lazar Wechsler.

Ich flog nach Zürich mit einem Ausweis, den ich mir in einem

Schreibwarenladen gekauft und von einem Notar für 5 Cent hatte beglaubigen lassen, arbeitete drei Monate lang in Zürich mit Richard Schweizer an dem Drehbuch zu dem Film ›Die Vier im Jeep‹, der einige Jahre später in Berlin mit dem Goldenen Bären prämiert werden sollte.

Mein Wiedersehen mit Deutschland fand auf einem schwäbischen Marktplatz kurz nach Mitternacht statt. Jemand hatte mich gefragt, ob er mich mit dem Auto mitnehmen solle. Nach etwa drei Stunden hielt der Wagen. Fachwerkbauten. Mondschein. Ein Springbrunnen plätscherte, ein wenig zu laut und zu vorschriftsmäßig. Die hohen Pflastersteine glänzten im Mondlicht wie Totenschädel. Kein Mensch weit und breit, nicht einmal ein Huhn, das sich auf den Marktplatz verirrt hätte. Ich erschrak vor der totalen Antwortlosigkeit dieser Szene im Mondschein. Was war die Frage? Ich hatte sechzehn Jahre versucht, sie zu finden. Ich fuhr weiter nach Stuttgart und München und tröstete in den Baracken des zerstörten Landes die Überlebenden einer Bombennacht, die mir ihr Leid klagten, mit dem Hinweis auf das eigene, ebenfalls kaum erfreuliche Schicksal, was jedoch nur wenig Beachtung fand. Je mehr man aufeinander einredete, desto mehr redete man sich auseinander, sie wußten alle Antworten – es hatte sich nichts geändert.

Die Letzten

Wir sind die Letzten.
Fragt uns aus.
Wir sind zuständig.
Wir tragen die Zettelkasten mit den Steckbriefen unserer Freunde
wie einen Bauchladen vor uns her.
Forschungsinstitute bewerben sich
um Wäscherechnungen Verschollener,
Museen bewahren die Stichworte unserer Agonie
wie Reliquien unter Glas auf.
Wir, die wir unsre Zeit vertrödelten,
aus begreiflichen Gründen,
sind zu Trödlern des Unbegreiflichen geworden.
Unser Schicksal steht unter Denkmalschutz.
Unser bester Kunde ist das
schlechte Gewissen der Nachwelt.
Greift zu, bedient euch.
Wir sind die Letzten.
Fragt uns aus.
Wir sind zuständig.

1973

Charlotte von Mahlsdorf

Mit Spangenschuhen durch den Endkampf

Charlotte von Mahlsdorf kommt 1928 als Lothar Berfelde in Berlin-Mahlsdorf zur Welt. Schon früh fühlt er sich als »weibliches Wesen im männlichen Körper«. Kindheit und Jugend unter dem tyrannischen Vater, einem »alten Kämpfer«, der schon Ende der zwanziger Jahre der NSDAP beitritt, werden zur Tortur. Angesichts der Drohung des Vaters, sie, die Mutter und die Geschwister zu töten, erschlägt Charlotte von Mahlsdorf ihn und wird 1944 zu einer Jugendstrafe verurteilt. Was sie nach ihrer Entlassung Ende April 1945 in Berlin erlebt, erzählt sie im folgenden.

Nach dem Krieg bleibt Charlotte von Mahlsdorf im Osten Berlins, wo sie der Mauerbau 1961 überrascht. Schon als Kind von allem fasziniert, was mit der Gründerzeit zusammenhängt, der Epoche zwischen 1870 und 1890, trägt sie in jahrzehntelanger Kleinarbeit und unter widrigsten Umständen das Gründerzeitmuseum in Mahlsdorf zusammen, in dem sie lange Zeit auch lebt. 1992 bekommt sie wegen ihrer Verdienste um die Erhaltung von Kulturgütern das Bundesverdienstkreuz. Daß sie weit mehr gewesen ist als ein Transvestit aus Ostdeutschland, ein schräger Paradiesvogel mit Hang zu Schürzen und schlichten Röcken, beweisen ihre Memoiren ›Ich bin meine eigene Frau‹, die sie bundesweit bekannt machen. 1997 übersiedelt sie nach Schweden. Kurz danach wird bekannt, daß sie in den siebziger Jahren IM der Staatssicherheit gewesen ist. Doch anders, als es in einem amerikanischen Theaterstück über ihr Leben behauptet wird, hat Charlotte von Mahlsdorf, wie ihre Stasi-Akte zeigt, niemandem wissentlich geschadet. Charlotte von Mahlsdorf stirbt 2002 während eines Besuchs in Berlin.

Eine halbe Stunde später stand ich vor dem Gefängnis auf der Straße und wunderte mich über die vielen Menschen, die, mit Handwagen voller Gepäck, Kinderwagen mit Federbetten und schreienden Kleinkindern auf dem Arm, in Richtung Stadtmitte zogen. Ich fragte eine Frau, wie ich zum Bahnhof Tegel käme. »Wat willste denn da?« kam es entgeistert zurück. »Ich will mit der S-Bahn nach Mahlsdorf fahren.« Schallendes Gelächter: »Nach Bahnhof Tegel? Da ist doch längst der Iwan, wat glaubste denn, warum wir flüchten?« Also, wie alle anderen, zu Fuß weiter. Auf der Müllerstraße im Wedding stürzten schon wieder Tiefflieger heran. Ich flüchtete in ein Haus, in dessen Keller ich Menschen vermutete, stieg die Treppe hinab, aber sah, als ich durch die Verschläge spähte, nur Gerümpel und – den wunderschönen Muschelaufsatz eines Kleiderschrankes. Noch komplett mit Kugeln an den Seiten, wahrscheinlich aus den neunziger Jahren. Mein Gott, ist das ein schöner Aufsatz, den müßte man retten, wahrscheinlich wird das Haus zerstört und der Muschelaufsatz mit, dachte ich. Draußen fauchten Bomben, das Haus dröhnte, der Beschuß wurde stärker – ich gebe zu, daß es eigentlich völlig absurd ist, in einer solchen Situation einen Muschelaufsatz zu bedauern, aber so bin ich nun mal. Mein Bestreben, zu bewahren, ist stärker als alles andere.

Ich verließ den Keller, als es sich draußen etwas beruhigt hatte. Kurz danach nahten erneut Tiefflieger, und ich stolperte in den U-Bahn-Eingang Seestraße. Unten leuchteten die roten Schlußlichter eines Zuges, neben dem letzten Wagen stand der Zugabfertiger. Die Fahrkartenverkäuferin rief mir schon zu: »Lauf schnell, es ist der letzte Zug über Stadtmitte. Danach fährt nichts mehr.« Die U-Bahn schien nur auf mich gewartet zu haben, denn kaum war ich eingestiegen, fuhr sie ab. Mutterseelenallein saß ich in diesem Zug. Er hielt an jeder Station, aber niemand stieg mehr ein. Die Wagen waren sauber, hatten noch Glasscheiben, und die Messingsäulen und -stangen blitzten wie Gold. Die Szenerie mutete gespenstisch an, und ich wußte nicht mal, wo aussteigen. So fuhr ich über Friedrichstraße und Französische Straße bis Stadtmitte, verließ den Wagen – um den Zug zu nehmen, der gerade auf dem gegenüberliegenden Gleis einfuhr und mich zurück zum Bahnhof Französische Straße beförderte. Dort kannte ich mich am besten aus, hatte ich mir inzwischen überlegt. Der Bahnhofsvorsteher löschte hinter mir die Lichter, als ich den U-Bahnhof verließ – auch diese Bahn war die letzte gewesen.

Oben angekommen, blieb ich entsetzt stehen: Nur noch Ruinen

oder qualmende Trümmerhaufen kündeten von den ehemals schönen Häusern. Am Eckhaus Friedrichstraße hingen noch die Reklameschilder der Firma Loeser & Wolff. Ich rannte, so schnell ich konnte, die Französische Straße entlang in Richtung Kurstraße. Dort geriet ich unter Beschuß und flüchtete in die große, unverschlossene Eingangstür des Reichsbankgebäudes. Statt Schutz erwartete mich in der Vorhalle der nächste Schrecken: Eine Handvoll SS-Männer hatte sich dort versammelt, und kaum hatten sie mich bemerkt, legten sie ihre Karabiner auf mich an. »Halt, stehenbleiben, oder wir schießen!« befahl einer. Völlig verdattert machte ich einen Knicks und sagte: »Entschuldigen Sie bitte, ich wollte nur vor dem Beschuß Zuflucht suchen und gehe sofort wieder.« Ohne eine Antwort abzuwarten, machte ich mich blitzschnell aus dem Staube und kam, an Häuser- und Ruinenwänden Schutz suchend, bis in die Nähe des Stadtschlosses. Ein Trupp Soldaten marschierte über den Platz, als der Kriegslärm zu einem Inferno einschlagender Granaten anschwoll. Ich sprang in einen geschützten Türbogen. In meiner unmittelbaren Nähe schlugen Splitterbomben ein. In der linken Ecke kauernd – die schwere Pforte hatte ich in der kurzen Zeit nicht öffnen können –, hörte ich die Schreie der Sterbenden. Dann war alles still. Eben hatte ich die Soldaten noch im Gleichschritt gehen sehen, mit Tornistern, Brotbeuteln und Feldflaschen, jetzt lagen sie tot und zerfetzt auf dem Platz. Ihr Anblick war so entsetzlich, daß ich einer Ohnmacht nahe war.

Ich raste Richtung Königstraße, wo mich erneut Granaten empfingen. Völlig verzweifelt stürzte ich in den Eingang einer Antiquitätenhandlung an der Ecke Burgstraße, deren kaputte Ladentür halb offen stand. Das Geschäft war durch die Druckwellen der Bomben verwüstet, Möbelstücke umgestürzt, und von der Decke hingen Rohputz und Stroh herunter. In diesem Bild trauriger Zerstörung stand ein alter Mann von etwa siebzig Jahren neben einer hohen Barockstanduhr und starrte mich mit entsetzensgeweiteten Augen an. Er schien auf die nächste Bombe oder Granate und den damit verbundenen Tod nur zu warten. Das war kein Händler, kein Trödler um des Broterwerbs willen, das war ein Idealist und ein echter Herr: eine Erscheinung aus dem neunzehnten Jahrhundert, voller Würde und Noblesse, er hätte ein Rittergutsbesitzer sein können oder ein Offizier alter preußischer Schule. Kerzengerade wachte er neben seiner Standuhr. Groß, schlank, weißhaarig, der schwarze Anzug, den er sicher früher schon trug, als er noch im Laden bediente, voller Kalk. Seine Gesichtszüge waren zur Maske erstarrt, dennoch erahnte ich den gutherzigen, gebildeten Aristokraten in ihm.

Er sah mich und sah mich nicht, starrte durch mich hindurch. Die Fenster des Ladens waren zerstört, der Brandgeruch wehte von den gegenüber in Flammen stehenden Häusern herüber. Aber das schien ihn nicht zu kümmern. Er hätte in den Keller gehen können, aber nein, er harrte in seinem Laden aus, das war sein Geschäft. Ich fühlte mich als Eindringling in seinem Reich.

Anfangs hatte ich ihn gar nicht bemerkt, war auf die Uhr zugegangen, die ich so schön fand. Da erst nahm ich ihn wahr, regungslos, links neben der Uhr, als wäre er schon in anderen geistigen Sphären. Ich entschuldigte mich, daß ich so in sein Geschäft gestürzt war. Aber er antwortete nicht, und mir schien, das Grauen hätte ihn um den Verstand gebracht. Nach Kriegsende war dieses Haus völlig zerstört. Was mag aus dem alten Herrn geworden sein? Immer denke ich an ihn, wenn ich an dieser Ecke entlanggehe, wo heute Brachland ist.

Ich lief, nachdem ich mich mit einem Knicks verabschiedet hatte, Richtung Jannowitzbrücke. Das Maschinengewehrfeuer war inzwischen verstummt. So als hätte man mich als letzten rüberlassen wollen, setzten die Schüsse wieder ein, kaum daß ich die Brücke überquert hatte. Gerade erreichte ich die Ecke zur Köpenicker Straße, als unter furchtbarem Krachen die stählernen Bögen der Brücke einknickten wie gekochte Spaghetti, in die Tiefe stürzten und in der Spree versanken.

Ich wollte zu den Biers, aber der Trödelkeller war abgeschlossen, zu dumm, und ich lief gleich weiter in die Melchiorstraße, wo das Ehepaar wohnte. Frau Bier öffnete und beide drückten mir lange die Hände: Ich war zu lieben Menschen heimgekehrt und fühlte mich beschützt, trotzdem um uns der Krieg wütete. Biers bereiteten mir am Abend im Wohnzimmer auf dem Sofa ein Nachtlager, ich schlief im Mantel, denn die Fensterscheiben waren längst zerstört und nachts wurde es kühl. Sie ruhten auf dem Küchenboden. Am nächsten Morgen weckte mich der Kriegslärm. Wir frühstückten trockenes Brot mit Wasser. Das war die erste und letzte Nacht in diesem Wohnzimmer: Hinter der Holzwand war eine Hälfte des Hauses weggebombt, und wenn die Druckwelle der Bomben heranrollte, schwankte die Holzwand gefährlich. Ich hätte aus dem zweiten Stock hinunterstürzen können. Deshalb händigten mir Biers den Schlüssel zu ihrem Laden in der Köpenicker Straße aus. Ich mußte irgendwo untertauchen, im »Volkssturm« kämpften Kinder neben Greisen, und ich verspürte nicht die geringste Neigung, eine Waffe in die Hand zu nehmen. Nach Mahlsdorf flüchten konnte ich nicht. Dort hätten sie mich an der nächsten Ecke weggefangen und an die Wand gestellt. Andererseits konnte ich nicht wochenlang im Trödelkeller hokken, ich hatte kaum noch etwas zu essen. Als ich das erste Mal meinen Keller verließ und mich auf die Straßen des im Endkampf zuckenden Berlins begab, wäre mir das fast zum Verhängnis geworden.

»Raum 6 – 34 Personen« stand auf der Wand des Luftschutzkellers in der Schule an der Manteuffelstraße 7 in Berlin SO 36. Dorthin flüchtete ich mich, als der Beschuß wieder einmal übermäßig stark geworden war. Was ich nicht wußte, war, daß Ende April 1945 die Feldpolizei, die sogenannten Kettenhunde, und SS-Streifen Jagd machten auf unbewaffnete alte Männer und junge Burschen, und zwar bevorzugt in öffentlichen Luftschutzkellern.

Auf mitgebrachten Hockern, Stühlen oder Bänken saßen dort Kinder, Frauen und Greise, zwischen sich ein Köfferchen oder einen Rucksack mit den letzten Habseligkeiten. Mit einem halben Brot, eingewickelt in ein Handtuch, und einer alten Weckeruhr mit Glocke im Arm hatte ich einen Platz neben einigen älteren Frauen bekommen, die unverblümt ihre Meinung äußerten: Na, wie lange wollen die Verbrecher noch machen? Lieber ein Ende mit Schrecken als ein Schrecken ohne Ende. Wenn doch bloß die Russen schon hier wären, daß der Spuk endlich ein Ende hätte! Eine andere Frau wollte Näheres erfahren haben: »Treptow soll in russischer Hand sein, und am Schlesischen Tor wird gekämpft. Am Schlesischen Bahnhof sind sie auch schon – was ist eigentlich mit der Schillingbrücke? Die Brommybrücke soll im Wasser liegen, und das Proviantamt in der Köpenicker Straße steht unter Beschuß.« Niemand jedoch wußte Genaueres.

Von draußen drang der Kanonen- und Bombendonner herein, plötzlich schwieg jeder still: Am Anfang des Ganges begann die Razzia auf wehrfähige Männer jeden Alters. Biers hatten mir berichtet, daß vor einigen Tagen alte Männer abgeführt und in der Manteuffelstraße erschossen oder aufgehängt worden waren – mit einem Pappschild um den Hals: »Ich bin zu feige, das Vaterland zu verteidigen.« Plötzlich bauten sich die Kettenhunde vor mir auf, rissen mich von meinem Stuhl und brüllten: »Warum trägst du keine Waffe?« Ich stammelte nur: »Was soll ich denn damit?« Das war natürlich das Verkehrteste, was ich sagen konnte.

Sie stießen mich den Gang entlang, zum hinteren Ausgang und auf den nahegelegenen Schulhof, der von Brandgeruch und Rauchschwaden erfüllt war. Einer der vier, die ihre Waffen auf mich gerichtet hatten, bellte: »Bei Fluchtversuch wird geschossen!« Sie trieben mich auf die halb eingestürzte Mauer zu, die den Schulhof vom dritten Hinterhof in der Köpenicker Straße 152 abtrennte. Dort befand sich die Likörfabrik Kirchner. Plötzlich fiel auf jener Seite ein Schuß, ein Frauenschrei gellte und verstummte abrupt. Über Mauertrümmer im Fabrikhof angelangt, erblickte ich eine am Boden liegende junge Frau, Blut sickerte aus ihrer Bluse. Ein Mann in Zivil zog ihr gerade den Rock über die Knie, einige Meter entfernt hantierte der Henker, ein SS-Mann, an seiner Waffe. Neben der toten Frau lagen einige Flaschen, die ihren Händen wohl entglitten waren. Eine war zerschlagen, und Rotwein lief an ihren Füßen vorbei auf den Trümmerschutt zu.

Die Frau hatte sich, wie so viele andere, aus dem Keller der Firma Kirchner, wo Rotwein lagerte, einige Flaschen stibitzt, um sie gegen Brot einzutauschen – dies reichte für den SS-Mann, sie wegen »Plünderung« zu erschießen.

In den letzten Kriegstagen sah ich so viele Tote, aber diese junge Frau hat mich am meisten erschüttert – gemordet wegen ein paar Flaschen Wein. Entsetzen und Mitleid im Herzen und das Gefühl, nicht helfen zu können, ließen mich, ein paar Sekunden vielleicht, innehalten. Der SS-Mann hatte meine Bewacher etwas gefragt, das ich vor Aufregung nicht verstand, und einer von ihnen antwortete barsch: »Das Früchtchen ohne Waffe ist unser, das machen wir gleich im nächsten Hof ab.« Wollte er auch mich erschießen? Ich erhielt einen Tritt ins Hinterteil, verlor beinahe das Gleichgewicht und wäre auf die Flaschen neben der Toten gefallen, hätten die beiden hinter mir stehenden Kerle mich nicht an den Armen gepackt. Sie schubsten mich durch die Tordurchfahrt des Fabrikgebäudes bis in den nächsten Hof.

»Den Beutel weglegen!« befahlen sie. Ich aber hielt alles krampfhaft fest, besonders die Weckeruhr – wenn schon, dann wollte ich mit ihr zusammen sterben. Außerdem war es kein Beutel, es war ein Handtuch. Hätten sie gesagt: »Das Handtuch weglegen!«, wer weiß, vielleicht hätte ich es getan. Aber meinen schönen Wecker und meinen letzten Kanten Brot, alles eingewickelt in das saubere weiße Tuch, in den Schutt legen? Das widerstrebte mir, ordentliche Hausfrau, die ich damals schon war. Und als die Stimme erneut bedrohlich anhob: »Beutel weglegen!«, da war mir alles Wurscht, und ich dachte: Nun erst recht nicht.

Ich schaute zu Boden, weil ich nicht in die Gewehrläufe blicken wollte, und hatte den Gedanken an Rettung schon fast aufgegeben, als ich, wie aus dem Nichts aufgetaucht, plötzlich ein Paar Stiefel und Wehrmachtshosen mit Biesen vor mir sah. Mein Blick glitt langsam höher, ich bemerkte den Pleitegeier mit dem Hakenkreuz an der Brust, und – meine Angst ließ nach, als ich das Gesicht sah.

Gütige, müde Augen blickten mir aus einer kummerzerfurchten Miene entgegen. In dem grauhaarigen Mann sah ich nicht den Uniformierten, sondern den Menschen. Resolut und stark – trotz aller Sorgenfalten – erschien er mir, wie jemand, der sagt: Ich mache, was ich will. Der hatte Gefühl und Bildung, das war kein grobschlächtiger Mensch. Ganz im Gegensatz zu den vier SS-Häschern, die sich mit Gewehr im Anschlag ein paar Meter entfernt aufgepflanzt hatten. Sachte drückte der Offizier meine Schultern gegen die Wand. Nachdem er mich gemustert hatte, fragte er: »Sach mal, bisten Junge odern Mädchen?«

Meine Haare hatten lange keinen Friseur mehr gesehen, ich trug Spangenschuhe zu meinen Kniestrümpfen, kurze Hosen und darüber einen taillierten Damenmantel, den mir meine Trödlersleute geschenkt hatten. Da ich quasi zum Tode verurteilt war, dachte ich: Na ja, was soll's, als Junge ist man tot, wenn man erschossen wird, als Mädchen auch. Ich antwortete: »Ein Junge.«

Danach begann ein regelrechter Disput zwischen dem Offizier und meinen Peinigern, die sich offensichtlich ihre Beute von niemandem streitig machen lassen wollten. Der Offizier fragte nach meinem Alter, und ich antwortete: »Sechzehn.« Daß ich seit dem 18. März siebzehn war, hatte ich völlig vergessen. Dies rettete mir das Leben. Denn der Offizier drehte sich abrupt um, stampfte erregt auf und schrie die Streife an: »Wat, soweit sind wir noch nich, daß wir schon de Schulkinder erschießen, Schweinerei, verdammte!«

Plötzlich das Knattern von Flugzeugmotoren, das pfeifende Fallen der Bomben, im anderen Hof ein gebrülltes »Fliegerdeckung!«, aber es war zu spät: Eine Detonation folgte der anderen, die Hilferufe und das Stöhnen der Sterbenden drangen herüber, Staub und Qualmwolken waberten durch die Tordurchfahrt. Die beiden Kettenhunde und die SS-Banditen verschwanden im Dunst, der Offizier half mir hoch, und ich lehnte halb betäubt an der Wand. Er aber sprach mir gut zu, ich solle schnell vorlaufen und mich in einem Keller verstecken, nur nicht in einem öffentlichen Luftschutzkeller. »Die Iwans stehen schon in Treptow, noch drei, vier Tage, dann sind sie am Schlesischen Tor.« Sein beruhigendes Zureden wurde unterbrochen von fürchterlichen Explosionen, das Fabrikgebäude bekam einen Volltreffer ab. Das Dachgesims mitsamt dem obersten Stockwerk löste sich im Zeitlupentempo in einzelne Steintrümmer auf und stürzte auf den Hof. Der Offizier hatte noch »Weg!« geschrieen, war einen Moment später verschwunden, und ich, keine Sekunde zu früh, sprang durch die Tordurchfahrt und war wieder allein. Was wäre wohl aus mir geworden ohne diesen Offizier, der doch bestimmt genug mit sich selbst zu tun hatte, anstatt mir beizustehen, wo es doch auf ein Menschenleben mehr oder weniger gar nicht ankam?

Nachdem der Staub sich verzogen hatte, hastete ich durch die Höfe zum Vorderhaus. Welch ein Kontrast: Die Scheiben zwar alle kaputt – die Druckwellen hatten selbst die Pappen aus den Fensterrahmen geschleudert –, aber die Häuser standen noch, und in den Bäumen auf dem Hof, die schon das erste Frühlingsgrün trugen, zwitscherten die Spatzen, als gäbe es Krieg, Tod und Verderben nicht. Draußen aber, auf der Köpenicker Straße, sah es schlimm aus. Die gegenüberliegenden Häuser nur noch rauchende Trümmer, die ganze Straße mit ihnen übersät. Die Oberleitung der Straßenbahn lag, teilweise zerrissen, wie Spinnweben auf dem Damm.

Die Schillingbrücke zum Schlesischen Bahnhof lag unter Maschinengewehrfeuer. Über Trümmer rannte ich, so schnell es irgend ging, zu meiner Behausung in der Köpenicker Straße 148, in den Bierschen Trödelkeller. Aber wie sah es hier aus! Die Holzplanken, mit denen ich die Schaufenster sorgfältig geschützt hatte, waren herausgeflogen. Flugs nagelte ich alles mit den zum Teil zersplitterten Brettern wieder zu. Währenddessen brannte das Eisenwaren-Geschäft gegenüber vollkommen aus, die Gluthitze kroch über die Straße. Ich eilte zur Wohnung der Biers in die Melchiorstraße, um alles zu berichten. Als ich geendet hatte, stieß Max Bier hervor: »Jetzt werden die Nazis von ihren Verbrechen eingeholt, aber wir werden mit in den Abgrund gerissen.« Wir hatten kaum noch zu essen und zu trinken.

Mit den letzten ergatterten Brotmarken reihte ich mich beim Bäkker in der Melchiorstraße in eine lange Schlange ein. Eine Straßenecke weiter fielen Bomben. Plötzlich erschien weinend die Bäckermeisterin in der Tür. Die Backstube hatte einen Volltreffer abbekommen, Bäckermeister und Geselle waren sofort tot. Wir sahen uns alle nur an, niemand sprach ein Wort. Dann schnarrten die Rolläden herunter: Eine Bäckerei existierte nicht mehr.

Ständig sprachen mich größere Hitlerjungen auf eine Waffe an, und da es, wie ich am eigenen Leib erfahren hatte, in den letzten Tagen der Nazi-Barbarei immer gefährlicher wurde, ohne Waffe durch das zerfallende Berlin zu irren, beschloß ich, mir im Polizeirevier in der Wrangelstraße 20 eine zu besorgen. Ich hätte natürlich nicht einen einzigen Schuß abgegeben, es sei denn auf die SS oder einen Nazi. Auch in der Wrangelstraße plünderten die halbverhungerten Berliner die Geschäfte, deren Fenster entglast und deren Verbretterungen als Brennholz längst weggetragen waren. Hungrig stieg ich durch das Schaufenster eines Lebensmittelgeschäftes, in dem es von Menschen wimmelte. Hoffend, vielleicht noch ein paar Knäckebrotscheiben zu finden, stolperte ich über herausgerissene Kästen: Mehl und Erbsen lagen, verdorben, auf dem Fußboden. Nichts, was ich hätte essen können.

Im Polizeirevier hing die Eingangstür halb offen und schief in den Angeln. Im ersten Stock klopfte ich an eine Tür, niemand antwortete. Ich trat ein, und am Tisch saß ein Mann, wohl der Revierleiter, vor sich einen Revolver. Auf die Frage nach einer Waffe deutete er wie geistesabwesend auf das nächste Zimmer. Mir war unheimlich zumute. Die Tür dieses Raums stand weit offen, Glassplitter übersäten Boden und Möbel. Alles befand sich in Auflösung – irgendwie beruhigte mich das.

Aus dem letzten Zimmer drangen Stimmen, die Tür war verschlossen, ich klopfte an. Ohne das »Herein« abzuwarten, betrat ich den Raum. Hier fläzten sich fünf Polizisten, einer prostete mir zu und setzte eine Flasche Schnaps an seinen Mund. Alle, bis auf einen, schienen angeheitert zu sein, zwei Flaschen kreisten. Auf meine Frage nach einer Waffe erscholl tosendes Gelächter: »Mädchen, du bist gut, aber zieh dir erst mal eine Uniform an, haha, letztes BDM-Aufgebot.« Einer murmelte etwas von »heroisch«, und ich fragte mich, ob alle schon verrückt seien. Der Nüchterne musterte mich vom Kopf bis zu den Waden, und die Sache begann mir peinvoll zu werden. Er deutete mit der Hand in eine Ecke hinter dem Mannschaftsspind: »Da stehen die Waffen, alle von 1914, aber Munition ist keine mehr da. Du kannst dir eine nehmen und so tun als ob, aber raten tu ich's dir nicht, es ist sowieso schon alles aus.« Das erleichterte mich, ich mußte lachen. Und prompt hieß es: »Mädchen, du bist aber drollig, bleib nochn bißchen bei uns, da wirds lustig, und hier hast du polizeilichen Schutz.« Der am meisten Angesäuselte schwankte auf mich zu, faßte mich um die Taille und gab mir einen Kuß. Der Fuselgeruch, die Uniform, das unter den hundert Meter weiter einschlagenden Geschossen erzitternde Haus – Weltuntergangsstimmung. Ohne Waffe verließ ich so schnell wie möglich das Zimmer, lief runter und raus aus dem Haus.

Zurück in der Köpenicker Straße – Chaos: Landser und sogar SS-Männer poltern durch die kaputte Ladentür die Holztreppe herunter in den Trödelkeller. Alles will Uniform und Waffen loswerden, fragt nach Zivilklamotten. Ich aber schicke sie weiter, denn mir ist klar, daß es mich das Leben kosten kann, wenn die Russen kommen und Uniformen und Waffen bei mir finden. Im Vorderraum des Trödlerladens steht ein Denkmal, das jenem Unter den Linden detailgetreu nachgebildet ist – der »Alte Fritz« auf seinem Pferd scheint sich über das freiwillige »Entmilitarisieren« doch sehr zu wundern.

Einen Tag später stürzte eine mir unbekannte Frau aus der Nachbarschaft durch die kaputte Ladentür, fiel mir um den Hals und rief: »Sie sind da, der Krieg ist aus! Sie kommen die Köpenicker Straße lang, das Proviantamt ist besetzt, die Manteuffel- und die Wrangelstraße sind schon voller Russen, endlich sind wir frei!« Dann hastete sie davon und ließ mich völlig verdutzt stehen. Doch nach einigen Minuten begriff ich: Das so sehnlich Erwartete war endlich eingetroffen. Die Nazigreuelpropaganda, daß die Russen uns alle töten würden, glaubte ich nicht. Allerdings war meine Angst nicht ganz gewichen, am Engelufer sollte noch immer SS wüten.

Am Tag, nachdem ich den Trödelkeller verlassen hatte, steckten versprengte Nazis das Haus mit Flammenwerfern in Brand. Im Hochparterre wohnte eine junge Frau. Bei meinem letzten Besuch beschwor ich sie: Im Keller sei sie sicherer, und wärmer sei es auch. Doch sie mochte nicht umziehen, hatte Angst, das Haus könnte einstürzen und sie im Keller begraben. Wie sie am Fenster ihrer Wohnung stand, ihr Kind auf dem Arm und hinter sich ein verstaubter Mahagonisekretär – das ist ein Bild, das ich niemals vergessen werde. Was wohl aus ihr geworden ist?

Der in einer Kellerkammer von Max Bier und mir sorgsam gehütete Schatz wertvoller jüdischer und hebräischer Bücher verbrannte unter den Flammenwerfern der SS-Schergen. Um sie der Nachwelt zu erhalten, hatten wir über Jahre auf die Werke geachtet – ein schweres Verbrechen damals. Und da man immer Kontrollen oder Hausdurchsuchungen befürchten mußte, hatte ich eine Papptafel mit der Aufschrift »Altpapier« auf dem Bücherhaufen angebracht. Aber alle Mühe war vergebens, vor der Feuersbrunst konnte ich sie nicht schützen.

Am Nachmittag des 26. April 1945 rasselten schwere russische Panzer Richtung Innenstadt, Fußtruppen folgten. Auch Pferdewagen bahnten sich mühsam den Weg durch die teilweise verschüttete Köpenicker Straße. Währenddessen rollten russische Soldaten in ihren erdfarbenen Uniformen Kabeltrommeln ab, und ich wunderte mich: Mein Gott, wollen die hier jetzt elektrischen Strom legen? Dann aber sah ich im Nebenhaus, wie einer der Soldaten ein Holzkästchen öffnete und horchte: Es waren Feldtelephone, die dort mit wahnsinniger Geschwindigkeit installiert wurden. Das Schießen verlagerte sich mehr und mehr in Richtung Jannowitzbrücke, und da ich neugierig war, stellte ich mich halb verdeckt in den Eingang des Trödlerladens. Immer mehr Soldaten zogen vorbei, manche riefen mir etwas zu und lachten. Ich verstand zwar nichts, lachte und winkte aber zurück. Als sich der Beschuß verstärkte, verzog ich mich nach hinten in die Küche.

Ein sowjetischer Kommissar kam mitsamt Dolmetscher und einigen Soldaten zu mir in den Keller und bedeutete mir, die Kampfzone zu verlassen, denn die SS könne sich noch in der Nähe verborgen halten und alles niedermachen.

Inzwischen zogen draußen viele Menschen mit Kinder- und Handwagen vorbei, ihre letzten Besitztümer mühsam aus dem Inferno rettend, Richtung Treptow. Ich schloß mich der schweigenden Menge an. Hinter der Manteuffelstraße wurde der Beschuß so stark, daß ich in dem großen Hausflur des Proviantamtes Schutz suchte. Dort drängten sich russische Frauen, die von den Nazis als Zwangsarbeiterinnen verschleppt worden und nun frei waren.

Auf dem Weg zum Hochbahnhof Schlesisches Tor versperrte ein beschädigter Straßenbahnwagen die Fahrbahn. Links von ihm hätte ich die Köpenicker Straße zwar passieren können, aber hier züngelten Flammen aus einem Haus. Ich schaute mich um – keiner weit und breit, ich war der letzte. Ich fürchtete, die Fassade könnte herabstürzen, aber wo sollte ich sonst durchkommen? Den Mantelkragen über meinen Kopf gezogen, rannte ich durch den Glutofen.

Hinter dem Schlesischen Tor war die Treptower Chaussee, die heutige Puschkinallee, frei von Trümmern, und auf den Mauern, aus denen Gitterzäune emporragten, saßen Menschen. Wir hatten überlebt. In den Villen hinter dem Zaun waren die Stäbe der Roten Armee untergebracht. Es war ein eiliges Kommen und Gehen von Meldern, Offizieren und einfachen Soldaten. Auf dem Bürgersteig verteilten Rotarmisten dicke Kommißbrotscheiben, auch ich bekam eine. Das letzte Stück von meinem trockenen Kanten hatte ich längst verzehrt, in mein Tuch war nur noch der Wecker eingewickelt – ich konnte ihn zwar nicht verspeisen, wußte aber immer, wie spät es war. Ich setzte mich auf die Mauer, aß mein Kommißbrot und atmete durch.

Hildegard Hamm-Brücher

Endlich frei leben

Hildegard Hamm-Brücher, 1921 in Essen geboren, wächst nach dem frühen Tod der Eltern bei ihrer jüdischen Großmutter in Dresden auf und erlebt die Zeit des Zweiten Weltkriegs als Chemiestudentin und »Halbjüdin«, geschützt von Nobelpreisträger Prof. Heinrich Wieland in seinem Chemischen Institut an der Universität München. Bald kommt sie in den weiteren Widerstandskreis um die »Weiße Rose« der Geschwister Scholl, arbeitet im selben Labor wie Hans Leipelt, der 1943 nach der Flugblattaktion der »Weißen Rose« vom »Volksgerichtshof« zum Tode verurteilt und hingerichtet wird.

Noch im März 1945 promoviert, tritt Hamm-Brücher 1948 in die FDP ein, für die sie Abgeordnete im Bayerischen Landtag und später im Bundestag wird. Hamm-Brücher bekleidet viele Ämter, wird hessische Bildungs-Staatssekretärin, später Staatsministerin im Auswärtigen Amt. 1994 kandidiert sie für das Amt des Bundespräsidenten. 1995 erhält sie als erste Frau die Ehrenbürgerschaft der Stadt München. 2002 wird ihr als moralisch integrer Persönlichkeit, die sich große Verdienste erworben hat, der Wartburg-Preis der Wartburg-Stiftung Eisenach verliehen. Am Wahltag 2002 tritt die »Grande Dame« der FDP wegen der Flugblattaffäre um Jürgen Möllemann und der für sie verschwommenen Haltung der Parteiführung dazu aus der FDP aus.

Die letzten Wochen und Tage des Krieges und der Hitler-Diktatur habe ich aus heutiger Sicht in einem Schwebezustand zwischen Angst und Erlösung erlebt. Ich war knapp vierundzwanzig Jahre alt und hatte gerade nach zweieinhalbjähriger experimenteller Arbeit mein mündliches Doktorexamen der Chemie hinter mich gebracht. Es war ein Studium, mit dem ich in der damaligen Situation auf unabsehbare Sicht keinen Lebensunterhalt würde verdienen können.

Über das Schicksal meiner drei Brüder war ich ebenso im ungewissen wie über Leben und Tod naher Verwandter und Freunde. Ich wohnte seit 1943 – nachdem ich in München mehrfach ausgebombt war – in einem etwa zehn Quadratmeter kleinen Zimmerchen in Starnberg, um in der Nähe meines verehrten Doktorvaters, des weltbekannten Chemikers und Nobelpreisträgers Heinrich Wieland, sein zu können.

Wochenlang hatte ich mich mit meiner zuverlässigen und immer hilfsbereiten Hausfrau und mit Freunden auf das Kriegsende und ein völlig ungewisses Überleben danach vorbereitet.

Zur Vorbereitung gehörten meine Vorräte: fünf mittelgroße Säcke mit abgesparten luftgetrockneten Brotscheiben, selbstfabriziertes Saccharin, selbstgekochte Seife, selbstgepreßtes Rapsöl und andere kostbare Eß- und Tauschvorräte. An zehn Stellen hatte ich (später teilweise nie wiedergefundenes) Geld versteckt und Schmuck und Papiere in alten Blechdosen vergraben.

In den Tagen vor der wahrscheinlichen Besetzung Starnbergs durch amerikanische Truppen wurde unser Städtchen »verteidigungsbereit« gemacht. So wurde zum Beispiel direkt vor meinem ebenerdigen Fenster eine »Panzersperre« aus ein paar Baumstämmen errichtet und den Hausbewohnern von einer Werwolfführerin aufgetragen, bei Einrükken des Feindes an dieser Panzersperre zu stehen und kochendes Wasser in die amerikanischen Panzer zu gießen. Durch solche und andere kindische Vorhaben – wie zum Beispiel das Anbringen von Sprengstoff an kleinen Holzbrücken, die über schmale Flüßchen führten – sollte nach dem Willen der letzten rabiaten Ortsnazis der Vormarsch der Amerikaner aufgehalten werden.

Doch gottlob – und dank einer realistischen Einschätzung der Lage durch die Starnberger – kam dann alles ganz anders. Als die amerikanischen Jeeps und Panzer wenige Tage vor Kriegsende durch meine Straße nach Starnberg hereinrollten, hingen plötzlich wie durch Zauberhand an sämtlichen Fenstern weiße Bettücher (gelegentlich auch vergilbte weißblaue Fahnen), und als sich auf dem Marktplatz ein kleines Kontingent amerikanischer Soldaten versammelte, flogen bereits die ersten Blumensträuße, und aus einer kleinen Konditorei wurde friedensstiftendes Eis herausgebracht.

Damit war für uns Starnberger der Krieg vorbei, und es folgte die Nachkriegszeit. Sie begann in der Nacht und verlief weniger idyllisch als die Besetzung. Die ersten Wohnungen mußten geräumt werden, Krach und Lärm quartiersuchender Amerikaner mischten sich in ängstliches Rufen und Kindergeschrei. Als ich am nächsten Morgen meinen Doktorvater (einen der ganz wenigen aufrechten Gegner der Nazis unter den Professoren der Münchner Universität) besuchen wollte, wimmelte es in seinem ganzen Haus von feiernden »Amis«. Hatte man das alte Ehepaar hinausgeworfen? Ich fragte besorgt herum. »The old man« hockte mit seiner Frau im Kohlenkeller und begrüßte mich (zum erstenmal, seit ich ihn kannte) mit einem sarkastisch-fröhlichen »Heil Hitler«. Die Hausbesetzer hatten absolut den Falschen getroffen! Schon wenige Tage später tauchte allerdings ein ehemaliger amerikanischer Schüler auf, und die Hausbesetzung fand für die Wielands ein rasches Ende.

In den nächsten Tagen tauchten in Starnberg die ersten verelendeten ehemaligen KZ-Häftlinge auf, und wo immer sie auftauchten, tat sich unter den Deutschen qualvolles Entsetzen, Angst und im Gefolge oft leider auch klammheimliche Abneigung auf. Als ich von einem amerikanischen Offizier gefragt wurde, ob ich von KZs gewußt hätte, bejahte ich dies wahrheitsgemäß. Weshalb gaben es so wenige zu? Das Ausmaß der Greuel- und Schandtaten konnte ich allerdings überhaupt nicht ermessen. Damals wurde mir allerdings klar, daß die Nachkriegszeit und jeder mögliche Neuanfang von dieser grauenhaften Schuld, Scham und Verantwortung verdüstert und belastet sein würden. Ich zweifelte (und zweifle bis heute), ob wir diese Last je würden tragen und abtragen können?

In der Nacht des Waffenstillstandes am 8. Mai fingen ein großes Feiern und Freuen an. Erleichterung breitete sich aus, selbst bei Leuten, die nicht gerade zu den Nazigegnern gezählt hatten. Sie beteuerten, man sei ja schon immer dagegen gewesen. Die echten Nazis waren nicht mehr zu sehen. Ich weiß noch genau, daß sich wildfremde Menschen mit Tränen in den Augen um den Hals fielen ... Nie wieder in meinem Leben habe ich so intensiv gefühlt, was es heißt, weiterleben zu dürfen – frei leben zu dürfen –, ohne Ängste in unendlicher Dankbarkeit und in der unerschütterlichen Hoffnung auf eine bessere Zukunft.

Renate Harpprecht

Wer durch die Hölle ging …

Renate Harpprecht, Jahrgang 1924, wächst in Breslau in einer Familie auf, die sich sowohl dem deutschen Bildungsbürgertum wie dem liberalen Reformjudentum zugehörig fühlt. 1941 zur Zwangsarbeit verpflichtet, muß Renate Harpprecht ein Jahr später die Deportation ihrer Eltern erleben, die anschließend umgebracht werden. Auch die Großmutter, bei der Renate Harpprecht zusammen mit ihrer Schwester lebt, wird kurz darauf verschleppt und getötet. Weil sie in der Papierfabrik, in der sie arbeiten muß, bei der Herstellung gefälschter Urlaubsscheine hilft, wird Renate Harpprecht zunächst zu einer Zuchthausstrafe verurteilt und Ende 1943 ins KZ Auschwitz deportiert. Dort trifft sie durch einen unglaublichen Zufall ihre Schwester wieder, die im »Mädchenorchester« Cello spielt. Ende Oktober 1944 werden beide ins KZ Bergen-Belsen deportiert. Dort erleben sie im April 1945 die Befreiung durch britische Truppen.

Nach dem Krieg wird Renate Harpprecht Journalistin. Sie lebt heute zusammen mit ihrem Mann, dem Schriftsteller Klaus Harpprecht, in Südfrankreich.

Wann begann sie wirklich, die Stunde Null? War es der 8. Mai 1945, das Ende des Krieges in Europa? War es schon die Nachricht von der Landung der Alliierten in Sizilien? War es der 6. Juni 1944 – die Invasion in der Normandie?

Oder war der Tag der Befreiung für meine Schwester und mich, als am 15. April 1945 die ersten englischen Tanks in das KZ Bergen-Belsen rollten? (…)

Der Monat April 1945 war außergewöhnlich heiß. Daran erinnere ich mich sehr genau: an die drückende Hitze in der Lüneburger Heide und den süßlichen Gestank von Tausenden verwesender Leichen, die unordentlich aufeinandergestapelt herumlagen. Ich brauche nur die

Augen zu schließen, und auch jetzt (...) steigt mir der widerliche Gestank in die Nase.

An viele Dinge, die am 15. April geschahen, kann ich mich heute nur ungenau entsinnen, aber die kleinen Einzelheiten sind mir noch immer sehr präsent:

Am Morgen hatte ich meine kranke Schwester Anita der Obhut einer Freundin anvertraut, um irgendwie etwas Trinkwasser aufzutreiben. Seit Tagen gab es kein Brot mehr zu essen. Die Suppe, die manchmal verteilt wurde, war eine trübe Brühe, auf der Rübenschalen herumschwammen. Nur wer noch einigermaßen bei Kräften war, konnte eine kleine Schüssel davon ergattern. Man balgte sich bei der Essensverteilung um jeden Tropfen.

Ich fand einen verrosteten Eimer und ging ans Lagertor. Der SS-Mann, sein Name ist mir unvergeßlich – er hieß Kasernitzki! –, stand Wache am Tor und versuchte nicht einmal, mich aufzuhalten, als ich zum einzigen noch funktionierenden Wasserhahn lief, der in der Nähe der Verwaltungsgebäude des Lagers war. Weit und breit war kein Mensch zu sehen. Das deutsche Wachpersonal war dort verschwunden. Keiner hielt mich an. Ich füllte meinen Eimer und ging durchs Tor ins Lager zurück, als eine Horde von halb verdursteten Häftlingen sich auf mich stürzte, um mir den Eimer wegzureißen. Er kippte um, und das kostbare Wasser versickerte im Staub der Lagerstraße. Ich kehrte mit leeren Händen in die Baracke zurück.

Ich half meiner Schwester, von ihrer Schlafpritsche herunterzusteigen, und führte sie ins Freie. Dort setzten wir uns auf die Erde und lehnten uns an die Barackenwand – vor uns und neben uns lagen Leichen.

Einige Tage zuvor hatte die SS ein Kommando von einigen Häftlingen zusammengetrommelt, die noch aufrecht stehen konnten. Wir sollten die Leichen in große Gruben schleppen. Man hatte uns Stricke und Bindfaden gegeben, mit denen wir die Arme der Toten zusammenbinden sollten, um sie dann quer durchs Lager in die Grube zu zerren. Doch dieses Unterfangen wurde bald aufgegeben. Wir waren zu schwach und konnten an einem Tag nie mehr als etwa fünfzig Leichen wegbringen.

Es war Mittag geworden. Seit Tagen hörten wir das leise Rumpeln von schweren Geschützen, doch wir hatten keine Ahnung, was draußen, jenseits des Lagers, vor sich ging. Wer schoß? Waren es die Deutschen, waren es die Alliierten?

Inzwischen war das leise Rumoren einem unverkennbaren Geräusch gewichen – dem Rasseln von Panzerketten. Im Lager war es totenstill geworden – und in diese Stille drang auf einmal eine englische Stimme: »This is the British Army. Please remain calm. We have come to liberate you. Don't leave the Camp and don't worry. You are free.« Und dann rollten die ersten Tanks ins Lager. Wir schauten stumm auf unsere Befreier. Zum Jubeln hatten wir keine Kraft. Es war vier Uhr nachmittags an diesem sonnigen 15. April des Jahres 1945.

Die englischen Soldaten, die das Lager betraten, hatten harte Wochen hinter sich, sie waren an Tod, an Blut, an schwere Verwundungen gewöhnt. Doch auf den Anblick, der sich ihnen bot, waren sie nicht vorbereitet. Ich sehe noch wie heute einen jungen eleganten Offizier mit seinem Stöckchen unterm Arm vor mir, wie er von seinem gepanzerten Gefährt sprang, um sich blickte, sein Taschentuch vor den Mund hielt und sich erbrach.

Glyn Hughes, Vizedirektor des medizinischen Dienstes der Rheinarmee, berichtete damals: »Ich war der erste Arzt, der das befreite Lager erreichte, ein Lager, dessen Zustand wirklich unbeschreiblich ist. Kein Bericht, kein Foto kann das schildern, was ich dort antraf. Überall lagen Leichen in langen Reihen aufeinandergestapelt im Zustand der Zersetzung. In den Baracken ebenso viele Tote wie Lebende nebeneinander, oft auf einer Pritsche. Viele lagen auf dem Boden, unbekleidet, unbedeckt, unfähig zu einer Bewegung. Alle gezeichnet von Unterernährung, Ruhr und Typhus …«

Dann ging alles ziemlich schnell. Nach einer unruhigen ersten Nacht, in der wir immer noch nicht ganz sicher waren, ob die Engländer wirklich bleiben würden, marschierten die englischen Truppen am nächsten Morgen ein, um das Lager zu übernehmen.

Die SS-Leute, die einige Tage zuvor verschwunden waren, wurden fast alle im Umkreis von Bergen-Belsen gefaßt und wieder ins Lager zurückgebracht. Bevor man sie einige Monate später vor Gericht stellte, wurden sie von den Engländern zum Wegschaffen der Leichen abkommandiert.

Ein englischer Soldat lieh mir seinen Fotoapparat. Und ich habe noch heute die Bilder dieser einst so makellos gekleideten SS-Offiziere und ihrer Untergebenen, wie sie völlig verdreckt auf den Lastwagen stehen und die Toten in die Massengräber werfen. Einige der SS-Leute haben diese Arbeit nicht überlebt, sie infizierten sich, wurden krank und starben im Gefängnis. Der Rest wurde in Lüneburg beim wohl ersten Kriegsverbrecherprozeß verurteilt – manche von ihnen zum Tode, die anderen zu hohen Gefängnisstrafen. Bei dem Prozeß traten meine Schwester und ich als Zeugen auf. Da saßen sie nun auf der Anklagebank, diese geduckten und bleichen Gestalten. Waren das unsere Peiniger?

Manche fehlten. Sie hatten sich irgendwo verkrochen, wurden aber später gefaßt und in anderen Prozessen verurteilt und hingerichtet. Die da auf der Anklagebank in Lüneburg hockten, hatten Tausende, Abertausende von Menschen auf dem Gewissen, sie zu Tode geprügelt, in die Gaskammern gejagt.

Da saß der schlitzäugige bayerische Riese Kramer – the Beast of Belsen, wie die englische Presse ihn taufte, der ehemalige Kommandant des Frauenlagers Birkenau, der uns jedesmal beim täglichen Zählappell Todesangst und Schrecken eingejagt hatte, wenn sein stechend schwarzer Blick über diese Ansammlung von Elend schweifte, um die nächsten Kandidaten für die Gaskammern zu notieren. Da war der kleine, einst so elegante Lagerarzt Dr. Klein, der zusammen mit seinem Kollegen Dr. Mengele, der in Südamerika untertauchte, für den Tod von Hunderttausenden in den Gaskammern von Auschwitz verantwortlich war. Neben ihm Irma Greese, auch sie von Auschwitz nach Belsen überstellt, ein blauäugiges Puppengesicht, die ihren scharfen Schäferhund auf uns zu hetzen pflegte, wenn wir nicht schnell genug ihren Befehlen gehorchten. Nun sind sie alle tot, am Galgen aufgeknüpft und irgendwo begraben. (...)

Warum kann ich die Schreckensbilder, die Gesichter dieser Peiniger nicht aus meinem Kopf verscheuchen? Sie ein für allemal unter den Steinen verscharren, unter denen sie jedoch immer wieder hervorkriechen? Warum kann ich auch heute (...) noch immer nicht über Auschwitz sprechen?

Wahrscheinlich, weil zuviel darüber gesprochen wird. Und solange wahrheitsblinde Professoren über die »Auschwitz-Lüge« dozieren, bleiben mir die Worte im Halse stecken.

Und das Heute? Es bleibt das »Here and Now«. Ich schreibe diese Zeilen und schaue dabei aufs Meer.

Als ich 1946 Deutschland verließ, gelobte ich mir, dieses Land nie wieder zu betreten. Nun bin ich seit über dreißig Jahren mit einem Deutschen verheiratet, der die deutsche Vergangenheit um vieles strenger verurteilt, als ich es tue. Er kämpft noch immer gegen die Unverbesserlichen und die Gleichgültigen. Ich habe dazu keine Kraft mehr – und keine Lust.

Am Sonntag, dem 15. April 1945, um vier Uhr nachmittags kam ich zum zweitenmal auf die Welt. Die Jahre, die uns bleiben, will ich mit meinem Mann hier im Süden Frankreichs in Frieden und mit Anstand zu Ende leben.

Stefan Heym

Ein amerikanischer Sergeant am Grabe seines Vaters

Um seine Familie nicht zu gefährden, nennt sich der 1913 in Chemnitz geborene Helmut Flieg, Sohn einer jüdischen Familie mit osteuropäischen Wurzeln, auf der Flucht vor der NS-Herrschaft Stefan Heym. Über Prag und Paris gelangt er 1935 in die USA, deren Staatsbürgerschaft er später annimmt. Er wird Herausgeber des antinazistisch ausgerichteten ›Deutschen Volksechos‹ und unternimmt erste literarische Versuche. Schon sein Erstling ›Hostages‹ (1942) sorgt für beträchtliches Aufsehen in der literarischen Welt. 1943 zieht Heym die Uniform der US-Army an, nimmt an der Landung der Alliierten in der Normandie teil und kommt 1945 nach Deutschland.

Nach dem Krieg gelingt ihm in Amerika zwar mit ›Crusaders‹ (deutsch: ›Kreuzfahrer von heute‹) ein weiterer Bestseller, doch in der McCarthy-Ära wird Heym als Kommunist verfolgt. 1952 gibt er seine amerikanische Staatsbürgerschaft zurück und übersiedelt in die DDR. Dort wird Heym zunächst mit Lorbeeren überschüttet; nichtsdestotrotz weicht seine anfängliche Begeisterung für den ersten Sozialismus auf deutschem Boden zunehmend einer kritischen Haltung. 1976 gehört er zu den Erstunterzeichnern der Petition gegen die Ausbürgerung des Liedermachers Wolf Biermann, was ihm Publikationsverbot einbringt. Zugleich bleibt er ein privilegierter Künstler, dessen Bücher zunehmend ausschließlich in der Bundesrepublik erscheinen, die er weiterhin bereisen darf. Während des Herbstes 1989 tritt Heym für eine eigenständige DDR ein, doch ungehört verhallen seine Appelle, einen neuen, besseren Sozialismus aufzubauen, und sie belegen eher das Utopiebedürfnis des politisierenden Intellektuellen Heym als eine genuin politische Haltung, wofür auch sein Roman ›Schwarzenberg‹ (1984), in dem er eine sozialistische Idealwelt auferstehen läßt, beredt Zeugnis ablegt.

1994 zieht Heym für die PDS in den Bundestag, doch sieht er den Irrtum seiner Mandatsübernahme bald ein: Ein Jahr später gibt er sein Abgeordnetendasein auf. Heym wird in seinen letzten Lebensjahren vielfach geehrt, er stirbt 2001 während eines Aufenthaltes in Israel.

Zu Ende: Das deutsche Oberkommando hat sich ergeben, bedingungslos. VE-Day, der Tag des Victory in Europe, auf den man so lange gewartet hat, ist gekommen, der Spuk ist vorbei. Der Sergeant S. H. kleidet sich langsam an, dann greift er nach seiner Pistole, begibt sich in den Hof der Villa und feuert das ganze Magazin, eine Patrone nach der anderen, in die Luft. Draußen laufen die Menschen zusammen, begaffen durch das eiserne Gitter hindurch den einsamen Soldaten, der seine Pistole im Holster unter der Schulter wieder verstaut und achselzuckend zurückschreitet ins Haus; er wird noch rasch einen Kaffee trinken, ein Mini-Päckchen Pulver auf eine Tasse heißen Wassers, bevor er quer durch den Park hinübergeht in die Redaktion. Sieg, Sieg bedeutet zunächst einmal zusätzlich Arbeit.

Gerade will er den Rasen betreten, den Kurrasen, den gepflegten, der Kiesweg rund um die Grünfläche ist ihm zu lang und zu langweilig, und da sind auch die zwei Bübchen, fünf- oder sechsjährig, die auf dem Gras herumtollen in der Sonne, da – Gott inszeniert sein eignes Theater – taucht eine Amtsperson auf, eine Art Parkwächter oder auch Förster, in moosgrünen Breeches, die ebenso moosgrüne Jacke stramm über Brust und Bauch und das befiederte Hütchen schnurgerade ausgerichtet über der Nasenwurzel, und schnauzt die Bübchen an.

Der Sergeant S. H. versteht nur »Verboten!« und geht zu auf den Uniformierten und stellt ihn. Er irre sich, teilt er ihm mit, es sei nicht verboten, auf dem Rasen zu spielen, und er möge die Kinder gewähren lassen. Der Mann blickt S. H. an aus verkniffenen Augen, die Lippen zittern ihm, er wagt nicht zu widersprechen, er deutet nur auf das Schild, weißbemaltes Holzbrett, dreißig Zentimeter über dem Gras: *Verboten!* Der Sergeant S. H. grinst. Auch dieses Schild gelte nicht mehr, erklärt er dem Grünen, es sei aus und vorbei nun mit der alten Ordnung, und Freiheit herrsche von jetzt an in Deutschland, und alle dürfen tanzen und singen, überall, neue Tänze, neue Lieder, und umherhüpfen auf dem

Kurrasen im Kurpark von Nauheim, kapiert? Und plötzlich, in dem Ton, den der Mann gewöhnt ist: »Still gestanden! Kehrt! Abtreten!«

Der pariert auf der Stelle, schleicht ab, die Schultern gekrümmt. Eine Welt ist zusammengebrochen, seine.

Also doch, endlich: Sieg!

Aber auch die Bübchen haben sich davongemacht, nicht übers Gras, auf dem Kiesweg.

Ein abenteuerliches Unterfangen, Zeitungen zu machen in diesem zertrümmerten Land. Allein schon, daß es wieder keine Planung gibt, keine durchdachten Direktiven, keine Politik auf lange Sicht, erschwert die Sache; wenn in diesen Blättern etwas vom Atem der Freiheit zu spüren ist, von demokratischer Gesinnung, so kommt der Anstoß dazu nicht von oben, sondern von [Hans] Habe, besser gesagt, von dem stellvertretenden Chefredakteur, dem Sergeanten S. H., durch Habe. Habe laviert; er kennt die Machtverhältnisse, die sich rapide herausbilden in der Armee und in Kreisen der Militärregierung, er will Konflikte vermeiden, das Unternehmen, Herzenssache für ihn, nicht gefährden; der Sergeant will Politik machen, Deutschlandpolitik, die, nach Lage der Dinge, zugleich Weltpolitik sein wird.

Wahnwitz? Aber es ist eine wahnwitzige Zeit, in der das Unterste zuoberst gekehrt wird, Menschen zu Tausenden über die Straße irren, die Wege der Vertriebenen von heute sich kreuzend mit denen der Vertriebenen von gestern, eine Zeit, in der Werte, geistige und andere, die eben noch als absolut galten, über Nacht zerrinnen, eine Zeit, in der die Zigarette, der Kanten Brot, das Bündel Brennholz mehr gelten als jede Philosophie: Tabula rasa, darauf es doch möglich sein sollte, etwas wirklich Neues zu schaffen, wenn einer nur imstande ist zu begreifen, was da vorgeht, und es versteht, diese Vorgänge zu beeinflussen.

Er fährt über die durchlöcherte Autobahn, überall sind Umleitungen, die Brücke ist zerborsten, also auf waghalsigem Weg hinunter ins Tal, ein paar Pontons, Bretter darüber, weiter, wieder den Hang hinauf: welche Aussicht von oben, die Städte ausgebrannt, tot, ähnelnd riesigen Ansammlungen hohler Zähne. In Kassel interviewt er den Stadtingenieur: Sagen Sie, wäre es nicht praktischer, den Krempel, wie er ist, einfach stehen und liegen zu lassen und irgendwo nebenan ein neues Kassel hinzustellen? Aber nein doch, antwortet der, unter der Erde ist ja alles noch da, Kanalisation, Wasserleitungen, Kabel. Natürlich hat der Mann recht, und die ›Hessische Post‹ wird seine Antwort drucken, so wie er sie gegeben hat, und natürlich ist er auch Nazi gewesen, was sonst; der Interviewer hat längst aufgegeben, den Deutschen, mit denen er tagtäglich zu tun hat, die Frage zu stellen: Und wann wurden Sie gezwungen, in die Partei einzutreten?

In Essen, nach sieben Stunden Fahrt, umbricht der Sergeant S. H. im Keller unter den Trümmern der Druckerei die ›Ruhrzeitung‹; ein paar halb zerstörte Maschinen sind irgendwie zusammengeflickt worden, keiner der Drucker ist unter sechzig, sie stolpern über die eigenen Füße, heiser keckernd; er fürchtet, sie werden ihm irgend etwas schieflaufen lassen, nicht aus bösem Willen etwa, eher aus greisenhaftem Übereifer; dann geht auf einmal der Strom aus, ein Panzer ist über das Notkabel gefahren, das quer über den Straßenschutt verläuft; das Blei in den Setzmaschinen erkaltet, auch wenn das Kabel schnellstens geflickt wird, werden Stunden vergehen, bis man weiterarbeiten kann; um drei Uhr morgens endlich sind die Seiten fertig, aber Schorsch, einst Bayer, dann Drucker in Philadelphia und jetzt in amerikanischer Uniform, der sonst den Laden hier aufrechterhält und der ihn abholen sollte mit dem Jeep, liegt betrunken im Quartier, und allein kann der Sergeant S. H. nicht zu Fuß gehen durch die Ruinenlandschaft, er verlöre nur den Weg, und es ist Ausgangssperre, und die Militärpolizei schießt scharf. (...)

Braunschweig ist, wie Köln, britische Besatzungszone, doch solange die amerikanische Armee noch dort steht, macht Habe den ›Braunschweiger Boten‹, das heißt, der Sergeant S. H. macht das Blatt, nach Habes Direktiven. Braunschweig ist weniger zerstört als andere Städte, vor allem ist die Druckerei in gutem Zustand, und die Arbeit geht rasch von der Hand, so daß ein paar Stunden, ein Tag fast, ihm plötzlich zur Verfügung stehen. Könnte man da nicht, so denkt er beim Studium der Straßenkarte, auch via Leipzig zurückfahren nach Nauheim; die Entfernung wäre nicht wesentlich größer, und am Weg läge Chemnitz ...

Wirkt da ein Heimweh? Nein, so schön war Chemnitz nie, und was ihm dort geschehen ist und seinem Vater und seiner Mutter, macht ihm den Ort nicht sympathischer; aber wiedersehen, wiedersehen möchte er die Stadt schon; Chemnitz ist wie ein Kapitel in seinem Leben, zu dem der Schluß noch fehlt. Außerdem soll da in der Poststraße ein Herr Rosner wohnen, dem die Mutter eine alte Brosche gegeben hat zur Aufbewahrung, damit sie den Nazis nicht in die Hände falle wie all ihr anderer Besitz. Und ein gewisser Ballerstedt wird wohl auch noch vorhanden sein, der Chefredakteur des ›Chemnitzer Tageblatts‹, der damals die Haßkampagne gegen den Primaner Flieg anfachte und dirigierte. Nur daß Chemnitz eben in der sowjetischen Zone liegt; die Zonengrenze soll irgendwo zwischen Leipzig und Chemnitz verlaufen, genau wo, weiß bei der Neunten Armee in Braunschweig keiner so recht zu sagen.

Er weiht den Fahrer in seine Absichten ein. Corporal Passuello, Philip mit Vornamen, ist Italiener und kommt aus Brooklyn, von politischen Dingen hat er wenig Ahnung. S. H. sucht ihm zu erklären, die verschiedenen Besatzungszonen, Ost–West; er verschweigt auch das Risiko nicht, der Trip wäre strikte illegal, was haben zwei amerikanische Soldaten in einem sonst nur Offizieren zustehenden Command Car drüben bei den Sowjets zu suchen; andererseits, er hat einen Roman geschrieben, ›Hostages‹, das wisse Passuello ja, und dieser Roman ist auch in Moskau erschienen, auf russisch, in der Zeitschrift ›Znamye‹, und sollte es ihnen drüben wirklich an den Kragen gehen, so würde man zum mindesten ein paar Rubelchen aus dem Honorar zur Verfügung haben zwecks Aufbesserung der Gefängniskost.

Der Fahrer ist skeptisch, besonders was die Rubelchen betrifft. Aber er glaubt nicht an irgendwelche Gefahren, sind wir nicht Verbündete, wir und die Russen?

Also auf nach Leipzig. In Leipzig liegt, wie dem Sergeanten S. H. bekannt, das VII. U.S.-Armeekorps; dort sollte es einen sowjetischen Liaison-Offizier geben, mit dem man morgen früh wegen des Besuchs in Chemnitz verhandeln können wird. In Leipzig übernachten er und Passuello in einem drittklassigen Hotel nahe dem zum Gerippe ausgebrannten Hauptbahnhof, und nach dem Frühstück in der Messe des VII. Korps fragen sie sich durch zum Stab.

»A Russian liaison officer?« Der zuständige Captain schüttelt den

Kopf. »Not here. Vielleicht gibt's einen bei der Neunten Armee in Braunschweig.«

»Aus Braunschweig sind wir gerade gekommen«, sagt der Sergeant S. H. »Doch wie ist das möglich: Sie grenzen an die Sowjets und haben keinen Verbindungsoffizier?«

Der Captain zuckt die Achseln. »Sie sehen doch!«

»Ich möchte aber nach Chemnitz fahren!«

»Suit yourself«, sagt der Captain. »Wie Sie wollen. Nur seien Sie ein bißchen vorsichtig. Wir hören, die Russen greifen sich jeden, der ihnen verdächtig erscheint. Noch etwas?«

»No, Sir. Thank you.« Und legt die Hand an die Mütze und geht. Draußen blickt er den Corporal Passuello an. Der winkt die Bedenken beiseite, »to hell with them. Let's go!«

Es ist die Zeit der Kirschen. Sie halten an, steigen auf die Motorhaube, pflücken, die dunklen Früchte sind prall, süß, saftig. Kommt der Bauer, greisenhaft schon, mit hartem, gierigem Gesicht, und fängt an, auf Sächsisch zu wehklagen: alle kämen sie und stopften sich voll mit seinen Kirschen, die Herren Amerikaner, aber daß einer mal daran dächte, ein Stückchen Schokolade oder eine Zigarette, das nicht, nein, und so weiter und so fort, bis die gedehnten heimatlichen Klänge dem Sergeanten S. H. so auf die Nerven gehen, daß er dem Mann einen Riegel Schokolade zuwirft und ein paar Zigaretten und ihm, in dessen eigenem Dialekt, erwidert: »Nu bleimse mir ahbr vom Leibe mit Ihrm ehwchen Gejammere, Sie hahm doch nich schlechd gelähbd in diesem Krieche!«

Der Mann reißt den Mund auf. Lachend fahren sie weiter; die Straße wird immer einsamer, keine Autos mehr mit den Holzgasöfchen aufmontiert am Heck, keine Bauern auf ihren Leiterwagen, von magerem Klepper gezogen, auch keine Trecks mehr von Menschen mit Rucksäcken und Handwägelchen: man spürt die Grenze, lange bevor sie in Sicht kommt. Die Grenze verläuft entlang der Autobahn Dresden-Plauen; die Autobahn selbst scheint in russischer Hand zu sein, man erkennt Gruppen sowjetischer Soldaten auf dem Damm und Offiziere, die einem Konvoi nachblicken, der langsam ostwärts fährt, mit roten Fahnen und Transparenten geschmückte Lastwagen, darauf Frauen und Männer in Zivil, von den Nazis Verschleppte wohl, Arbeitssklaven, die nun heimreisen in die Sowjetunion, ferner Gesang klingt herüber, die sehnsuchtsvollen Melodien; dem Sergeanten S. H. schnürt sich die Kehle zusammen, auch dafür hat er gekämpft, daß diese frei sind, endlich.

Zur linken Seite der von Leipzig nach Chemnitz führenden Chaussee, bevor man den Damm erreicht, auf dem die Autobahn verläuft, steht das Grenzzelt der Amerikaner, dunkelolives Quadrat, davor der Posten, reglos wie er das Sternenbanner am Mast. Der Sergeant S. H. begibt sich ins Zelt; irgendein Lieutenant tut Dienst, S. H. erstattet Meldung, der Lieutenant staunt, »Sie wollen da wirklich hinüber?«

»Yes, Sir.«

Der Lieutenant läßt sich den Marschbefehl zeigen, da ist nichts erwähnt von Chemnitz. Aber schließlich, was geht ihn die Sache an, er ist nicht seines Bruders Hüter, und schon gar nicht dieses merkwürdigen Sergeanten, der behauptet, aus der Stadt hinter den russischen Linien zu stammen. »Corporal!« ruft er.

Ein Schatten löst sich aus dem Dunkel im Innern des Zelts.

»Begleiten Sie den Sergeanten.«

Der kleine Corporal, stellt sich heraus, ist ein Kind russisch-jüdischer Eltern; er kommt aus Chicago, hat, wie S. H., an der Universität studiert, allerdings Slawistik; hier sitzt er nun fest, weil sie gelegentlich einen Dolmetscher brauchen; es passiert immer mal was, zum Beispiel wenn da oben plötzlich welche abspringen von den Lastwagen und den Damm herab gerannt kommen, auf amerikanisches Gebiet, haben offenbar keine so überwältigende Sehnsucht nach Mütterchen Rußland und Väterchen Stalin, werden aber doch von uns ausgeliefert, ob sie auch schreien und fluchen und sich wehren: was sonst sollen wir anfangen mit ihnen, sie auf ewig durchfüttern?

Dem Sergeanten S. H. erscheint das kaum glaubhaft, er denkt an den Matrosen Kowaljow, den sowjetischen Helden par excellence, aber der kleine Corporal sieht auch nicht aus wie einer, der sich Schauergeschichten ausdenkt. Und jetzt sind sie angelangt oben auf dem Damm, vor ein paar Offizieren, deren einer, den breiten Epauletten nach zu urteilen ein Oberst, sich herabläßt, den kleinen Corporal anzuhören. Der nun erläutert ausführlich den Wunsch und die Geschichte des Sergeanten S. H., das Russische ist eben doch eine Erzählsprache, volltönend, die Vokabeln schon von epischer Breite, und die ganze Zeit tappt die auf Hochglanz polierte Stiefelspitze des Obersten auf die welke Grasnarbe. Dann, plötzlich, mit befehlender Handbewegung, zwei Sätze, kurz, abgehackt.

»Sie können gehen«, übersetzt der kleine Corporal, »ja, nach Chemnitz. In zwei Stunden sollen Sie zurück sein.«

Da packt den Sergeanten S. H. denn doch der Zweifel. »Und keine Bescheinigung?« fragt er. »Kein Papier, keine Unterschrift?«

»Propusk?« sagt der Oberst, und darauf etwas, das verärgert klingt und das der Corporal auf fast klassische Weise übersetzt: »Der Genosse Oberst verlangt zu wissen, ob Sie dem Wort eines sowjetischen Offiziers nicht vertrauen.«

Da salutiert der Sergeant S. H. und marschiert ab.

In Chemnitz: an den Kreuzungen die russischen Mädchen mit Kelle und Maschinenpistole, die verschwitzte Bluse straffgezogen über dem strammen Busen; auf dem Weg zum Kassberg läßt er halten und küßt die eine; Passuello knipst das. Eine sonderbare Fahrt, er in amerikanischer Uniform mit Ordensbändchen und Rangabzeichen und Waffe, hoch auf seinem amerikanischen Militärwagen mit amerikanischem Fahrer; die Straßen, selbst die zerstörten, erscheinen vertraut; auffällig sind die Trupps, Nazis wohl, die unter Aufsicht einer neuen, ärmlich uniformierten Polizei Trümmer forträumen. Das Durcheinander der Gedanken, die ihn bestürmen, wird er ordnen müssen, wenn er wieder in Nauheim sein wird, oder gar später noch; auf jeden Fall ist die Chemnitzer Welt, die auf dem Kopf stand seit jener überfüllten Massenversammlung gegen ihn im großen Saal der Gaststätte Meistereck, wieder auf die Füße gestellt worden, aber mit welchen Kosten!

Die Hoffmannstraße. Das Haus, in dessen Parterre die Fliegs einst wohnten, steht noch; der wilde Wein jedoch, der an den Mauern rankte, ist verbrannt, und die Mauern selber sind besät mit Narben, die Kugeln und Granatsplitter in sie rissen. Die Wohnung ist abgeschlossen; er läutet, keine Antwort. Er steigt durch den Keller in den Hintergarten, dann die paar Stufen zur Terrasse hinab, von dort gelangt er, ein kräftiger

Druck genügt, durch die Küchentür in die Wohnung. Aber es ist nichts mehr da von früher, auch in seinem Zimmer nicht, kein Figürchen, kein Wandteller, kein Bild; alles hier ist fremd, schäbig, kleinbürgerlich, der Fleck, wo das Hitlerportrait vor kurzem noch hing, deutlich zu sehen; er flieht.

Zum Geburtshaus am Kaiserplatz. Nur noch die Vorderwand steht, jemand hat mit Kreide eine 13 neben den Eingang geschrieben, der ins Nichts führt, vor diesem Eingang läßt er sich abermals photographieren, Passuello ist geduldig, er tut, was sein Fahrgast wünscht, fährt ihn, wohin der wünscht; mitunter wirft er einen Blick auf ihn – Neugier? Mitleid? Verständnis?

Zum Staatsgymnasium, das jetzt ein Lazarett ist, ein deutsches. Und wieder das Traumerlebnis, die Jahre, die Räume. Er geht durch die große Halle zum hinteren Ausgang, die halbe Treppe hinunter zum Schülerpissoir mit den geteerten Wänden, natürlich muß er pinkeln, wie einst, aber es steht keiner neben ihm heute und macht Witze über sein beschnittenes Glied, vielleicht ist er überhaupt der einzige Überlebende aus seiner Klasse; weiter, hinaus in den Schulhof, wo er so oft wie geächtet stand, und in die Turnhalle; irgend etwas muß er mitnehmen von dort, nicht als Souvenir, darüber ist er erhaben, aber als Beweis, daß er hier war, in dieser Schule, wo sie ihm das Trauma zufügten, das er jetzt überwunden hat, abgestreift den letzten Grind der Wunde, nur die Narbe bleibt, aber auch die wird verblassen. Also greift er sich eine jener hölzernen Keulen, mit denen man armeschwingend geturnt hat, und stolziert zurück durch den Hauptbau, und nimmt in der Eingangshalle noch einen Grundriß der Schule von der Wand, unschön gerahmt, aber mit der Inschrift Königliches Gymnasium zu Chemnitz, und gerade da, nachdem aus Ecken und Winkeln irgendwelche Lemuren längst schon hervorgelugt und ihre Köpfe rasch wieder zurückgezogen haben, tritt die Autorität auf in Gestalt des Chefarztes. Nein, hebt er die warnende Hand, dieses nun nicht, den Rahmen nicht mit dem Grundriß des Hauses, der sei, wie alles hier jetzt, Eigentum der Sowjetmacht, und auf den Hinweis, die Sowjets wären ja wohl Verbündete der USA, des Chefarztes gequälte Antwort, ob eine Kopie des Grundrisses dem Herrn Amerikaner vielleicht genüge? Der nickt, erhält, wenig später, die Kopie, bereits säuberlich zusammengerollt, und geht davon, wird aber am Tor noch von einer Gruppe lärmender Kinder gestellt, die wissen wollen, wann denn nun die Amerikaner nach Chemnitz kämen, wegen der Schokolade, die Russen gäben ihnen keine, nur klebriges Schwarzbrot.

Und dann zum Tempel, zum jüdischen, am Stephansplatz, ein Katzensprung vom Staatsgymnasium herüber, den Weg kennt er, er ist ihn oft genug gegangen an minderen Feiertagen; an hohen kam man gar nicht erst zur Schule. Es dauert eine Minute oder zwei, bis er begreift, warum er den Tempel nicht finden kann: der Tempel ist verschwunden, kein Stein davon mehr da, kein Ziegelbröckchen; Gras wuchert, wo der Bau einst stand mit seinen Türmchen und bunten Fenstern, jüdisches Spätbarock mit orientalischem Einschlag; sie haben den Tempel verbrannt und die verkohlten Trümmer fortgeräumt; jetzt ist die Stadt selbst zur Trümmerlandschaft geworden, und nur hier grünt Leben.

Weiter, wie gehetzt, zum Friedhof. Von der Mutter weiß er die ungefähre Lage des Grabes und daß sie es hat abdecken lassen mit einem großen flachen Stein, letzte Wohltat für den geliebten Mann, bevor sie fort mußte ins Ghetto von Berlin. Und er, der Sohn, ist nicht imstande, das Grab zu finden, denn die Nazis haben die Kopfsteine umgestürzt, reihenweise, mit der Inschrift nach unten, so stellt er sich denn vor irgendeins der geschändeten Gräber und salutiert, Hand am Helm, Ehrengruß dem Vater und allen Toten hier; und da er kehrtmacht auf dem Absatz und langsam weggeht, sagt Passuello zu ihm: »Nimm's nicht so schwer; wir haben doch gesiegt.«

Hans Koschnick

Befreiung zu neuen Ufern

Als Sohn eines in der NS-Zeit verfolgten marxistischen Gewerkschafters wird Hans Koschnick 1929 in Bremen geboren. Nach dem Zweiten Weltkrieg absolviert Koschnick eine Verwaltungslaufbahn und engagiert sich gewerkschaftlich. 1950 tritt er in die SPD ein, für die er 1955 in die Bremer Bürgerschaft einzieht. Im Bremer Senat bekleidet er verschiedene Ämter, von 1967 bis 1985 ist er Bürgermeister seiner Heimatstadt. Auch seiner Partei dient er in verschiedenen Funktionen: Er ist zeitweilig Mitglied des Bundesvorstandes sowie stellvertretender Parteivorsitzender. Nach vier Jahren als Bundestagsabgeordneter nimmt er 1990 seinen Abschied als Mandatsträger, ist jedoch nach wie vor politisch aktiv. Großes Ansehen erwirbt sich Hans Koschnick mit seiner Tätigkeit als EU-Administrator für den Wiederaufbau der vom Bürgerkrieg in Jugoslawien zerstörten bosnischen Stadt Mostar. Im Juni 1997 wird er für seine Bemühungen um den Frieden in Mostar mit dem Hessischen Friedenspreis ausgezeichnet. Hans Koschnick lebt in Bremen.

Es ist kein einfaches Unterfangen, so über die Erinnerungen an das Kriegsende 1945 zu reflektieren, daß wirklich die damaligen Eindrücke und Erfahrungen sichtbar werden und nicht die Verarbeitung dieser Zeit in den vergangenen Jahrzehnten. Immerhin muß ein Mensch wie ich, der seit rund vierzig Jahren in der aktiven Auseinandersetzung um den generell richtigen Weg in der Politik steht, befürchten, daß seine Rückbesinnung auf die Zeit des Jahres 1945 zu sehr geprägt ist von später erworbenen Erkenntnissen und er zwar, wie viele Biographien belegen, eine Rückschau für absolut wahr hält, die aber nur noch bedingt widerspiegelt, was er tatsächlich damals zum Kriegsende dachte und empfand. Zu bedenken habe ich auch mein damaliges Alter. Ich war gerade sechzehn Jahre alt und aufgewachsen in der zeitbedingten Enge des

NS-Regimes, das uns in der Hitlerjugend, in der Schule und nicht zuletzt in der Kinderlandverschickung zu prägen versuchte.

Geboren am 2. April 1929, wurde ich Anfang 1945 für den Reichsarbeitsdienst mit anschließendem Wehrdienst gemustert und für tauglich befunden. Wegen gewisser körperlicher Länge war ich für den Einsatz in der Waffen-SS vorgesehen und konnte mich diesem nur durch eine »Freiwilligenmeldung« zu den Fallschirmjägern entziehen. Bei meinem familiären Hintergrund wäre ein Einsatz im Rahmen der Waffen-SS sowieso ein Widerspruch in sich gewesen, denn meine Eltern sind schon gleich nach der sogenannten Machtergreifung der NSDAP verhaftet und für lange Zeit »aus dem Verkehr« gezogen worden. Wer deshalb wie ich – für viele Jahre vom Vater getrennt, für kürzere Zeit auch von der Mutter – bei den Großeltern aufwuchs und zu Hause die Ablehnung des Systems erfuhr, der war gegenüber der Waffen-SS und anderen NS-Verbänden relativ gefeit.

Zum Einsatz bei den Fallschirmjägern kam es nicht mehr. Mitte März 1945 wurde ich zu einem Verband des Reichsarbeitsdienstes einberufen, der damals schon als normale Infanterieeinheit ausgebildet war. Dieser Verband kam als ganzer zwar nicht mehr zum Einsatz, ausgenommen die zehn Arbeitsmänner, die zum Sprengen von Straßenkreuzungen und speziellen Verkehrswegen vorbereitet wurden. Ich war einer von ihnen. Doch zum Glück hatte die Marineeinheit, die uns mit Sprengstoff versorgen sollte, ausgewachsene Männer im fortgeschrittenen Alter, die sich weigerten, »Kindern« die Sprengmittel anzuvertrauen. Wir mußten wohl mit unseren jugendlichen Gesichtern – wir waren ja auch gerade um die sechzehn Jahre alt – auf diese Männer einen so verheerenden Eindruck gemacht haben, daß sie uns für unfähig hielten, mit so einem gefährlichen Kriegsmaterial, wie es ein Torpedo war, »sachgerecht« umzugehen. Wir waren gekränkt, hielten wir uns doch aufgrund der schon frühen Wehrausbildung für hinreichend befähigt.

Am nächsten Tag empfanden wir jedoch große Dankbarkeit den alten Soldaten gegenüber, als uns die Engländer überrollten und wir deren Ausrüstung sahen. Uns hatte man gesagt, es handele sich bei unserem Einsatz um das Aufhalten einiger weniger durchgebrochener Panzer – und dann erschien eine imposante Kriegsmaschinerie.

Zugegeben, es war ein Schock, so belogen worden zu sein, und wir fragten uns, was denn noch alles nicht stimme von dem, womit uns die oberste wie auch die unterste Führung bislang konfrontiert hatte. Und wir erfuhren nach dem 2. Mai 1945, dem Tag, an dem ich mit meinen Kameraden in der Nähe von Bremervörde in britische Gefangenschaft geriet, bald mehr.

Man brachte uns per Lkw mit einigen Übernachtungen auf freier Wiese nach Belgien. Auf der Fahrt sahen wir den Umfang der Zerstörung in deutschen und niederländischen Städten und hörten von Mitgefangenen, die unseren Konvoi auffüllten, von den schrecklichen Eindrücken bei der Konfrontation mit den Menschen, die gerade aus dem Konzentrationslager Bergen-Belsen befreit worden waren und sich in einem elenden gesundheitlichen Zustand befanden.

In der Nacht des 8. Mai 1945, der formalen Stunde der Kapitulation, marschierten wir dann durch Brüssel, um in der Nähe der belgischen Hauptstadt unser Gefangenencamp zu beziehen. Für uns Jungen war ein Jugendcamp vorbereitet, die Älteren kamen in das Nebenlager, in dem deutsche Soldaten seit den Kämpfen um Arnheim untergebracht waren, die nicht glauben wollten, was sie durch die Neuankömmlinge erfuhren. Wie dann über Wahrheiten, über augenscheinliche Fakten gestritten wurde, Informationen schlicht als Feindpropaganda abgetan wurden, verstörte uns Jungen. Wir begriffen langsam, was uns das Regime angetan hatte. Und da wir relativ gut versorgt waren, Hunger nicht leiden mußten, waren einige von uns schon damals bereit, nach Rückkehr in die Familie gegen das anzugehen, was einer jungen Generation an Verfälschung, Irreführung und Mißbrauch der Gesinnung zugemutet worden war.

Einige wollten allerdings nicht mehr mit Politik in Berührung gebracht werden, trachteten danach, ihr eigenes Leben zu leben, wollten nichts mehr von den Parteien wissen, die nach ihrer Meinung vor 1933 versagt hatten, und andere – darunter auch ich – versuchten darüber nachzudenken, ob es nicht neue und bessere Formen des Eintretens füreinander geben könne. Es war eine Suche nach Wegen, die uns und unser Volk besser aus dem Elend führen sollten. Wir alle erwarteten aber ein Strafgericht über die Deutschen, nachdem immer mehr ruchbar wurde, was wirklich den Menschen in Europa im deutschen Namen und durch Deutsche angetan worden war.

Ganz unbestritten gab es einen erheblichen Unterschied im Denken und Fühlen zwischen uns ganz Jungen und den Älteren im Nachbarcamp. Viele von den dortigen Kriegsgefangenen, namentlich diejenigen, die dort seit Frühjahr 1944 untergebracht waren, verstanden den Kriegsausgang nur als Katastrophe für das deutsche Volk, manche sogar als unverschuldet, da ja »nur gegen das Schanddiktat von Versailles« gekämpft worden war, für das »gute Recht des deutschen Volkes«, andere sahen dagegen die Katastrophe in der Befürchtung einer rächenden Strafaktion der alliierten Sieger, nahmen die Sorgen vor der Realisierung des Morgenthauplanes auf, die ja Bestandteil der Durchhaltepropaganda der Nazis gewesen waren. Nur wenige sahen in dem 8. Mai 1945 einen Tag der Befreiung von einer Diktatur, die Schande und Elend über das deutsche Volk gebracht hatte.

Ich glaube, daß ich damals trotz der familiären Erfahrungen mit den Verfolgungen des NS-Staates auch mehr die mögliche Rache der Sieger denn die Tatsache der Befreiung gesehen habe. Dies als Chance für den Neubeginn zu sehen war vielmehr ein Ergebnis der Verarbeitung von Informationen über das Werden, Wachsen und Versagen der Demokratie in Deutschland. Nicht zuletzt deshalb hatte ich gezögert, mich parteipolitisch zu engagieren. Ich ging meinen Weg über Jugendverbandsarbeit, über ein gewerkschaftliches Engagement und über die Aufbauarbeit im Sinne der späteren Aktion Sühnezeichen. Ich wollte in den fünfziger Jahren zusammen mit meiner Frau unseren Beitrag zur Beseitigung der Trümmer der Vergangenheit bei den stark betroffenen Nationen West- und Osteuropas, später in Südosteuropa und in Israel leisten. In den siebziger Jahren konnten wir uns in Polen engagieren.

Wir wollten, daß es die nach uns kommende Generation leichter haben sollte, wieder freundschaftliche Bande mit der ihr gleichaltrigen Generation in den betroffenen Nachbarländern zu schließen. Wir hatten jedenfalls damals das Empfinden, daß es die Arbeit einer Generation bedürfe, um ein neues Miteinander in Europa möglich zu machen. Gott sei Dank haben wir uns in dieser Zeitperspektive geirrt, es wurde früher möglich.

Zurück zum eigentlichen Thema: das Ende des Krieges 1945, die Gefangenschaft bis Ende September, der Eintritt in den öffentlichen Dienst und die freiwilligen wie verordneten Einsätze zum Trümmerräumen, zur Backsteingewinnung und zu Aufbaumaßnahmen sind die eine Seite der Medaille. Die andere Seite waren die Diskussionen innerhalb der jungen Generation über das »Warum« und das Ausmaß unverständlicher Ereignisse der NS-Zeit, die uns bewegten. Wie konnte es gerade bei uns in einem Land mit einem hohen Grad an Assimilierung der jüdischen Mitbürger und Mitbürgerinnen zu einer Genozidpolitik kommen? Wie war es möglich, daß einem liberalen Bürgertum in einem solchen Umfang nationalistische Gedankenwelt entgegengestellt werden konnte? Wie war das Versagen der Kirchen zu erklären oder in meinem Fall das der Arbeiterbewegung in ihrem politischen wie gewerkschaftlichen Teil? Gab es einen erklärbaren Grund, daß die Auflösung aller Postulate von Menschenwürde, Ethik und Moral in so breitem Umfange Fuß fassen konnte? Fragen über Fragen, und wir fanden keine Antworten.

Aus der mangelnden Sensibilität nach der gesellschaftlichen Einschätzung der Verantwortlichen und der Mitläufer des NS-Regimes, bei denen eigentlich nur die Mitläufer begrenzte Konsequenzen tragen mußten, ergab sich für den größten Teil meiner Generation die Hinwendung zu einer Haltung des »Ohne mich«, für uns andere das Eintreten in eine bewußte gesellschaftliche Auseinandersetzung, manchmal zum Unverständnis der älteren Generation.

Waren wir zu kritisch, zu unvollständig informiert über die reale Situation der gesellschaftlichen Befindlichkeit der Deutschen zwischen 1919–1933–1945, so blieben die anderen bei ihrer Verweigerungshaltung.

Geschichtliche Reflexion war in der Wiederaufbauzeit bald nicht mehr gefragt. Die Sieger haben kaum Rache geübt, doch auch Gerechtigkeit nicht hinreichend praktiziert. Vergessen, Verdrängen war die Praxis, und das alles hatten wir nach dem totalen Zusammenbruch des Regimes, nach der totalen Kapitulation der Wehrmacht nicht für möglich gehalten. Vielleicht waren wir zur gleichen Zeit zu idealistisch und zu betäubt, um der wirklichen Entwicklung richtig folgen zu können. Verführte einst, Vertriebene jetzt, sich der Wiederaufbau-Aufgabe ganz hingebend, gingen wir unseren Weg.

Stefan Doernberg

Als Deutscher in der Roten Armee

Stefan Doernberg wird 1924 in Berlin geboren. Die Familie emigriert 1935 – der Vater ist Kommunist und Jude – nach Moskau. 1941 meldet sich Doernberg zur Roten Armee und nimmt im Frühjahr 1945 als Offizier an den Kämpfen an der Oder und der Schlacht um Berlin teil.

Nach 1945 studiert und promoviert Doernberg, 1962 wird er zum Direktor des Deutschen Instituts für Zeitgeschichte in Berlin, 1977 zum Direktor des Instituts für internationale Beziehungen in Potsdam-Babelsberg berufen. Von 1983 bis 1987 ist er als Botschafter der DDR in Finnland tätig. Seit 1990 wirkt er im Vorstand von DRAFD, des Verbandes Deutscher in der Resistance, in den Streitkräften der Antihitlerkoalition und der Bewegung »Freies Deutschland« e.V.

Die letzten Apriltage und die ersten Tage des Mai 1945 haben sich in meinem Gedächtnis ganz tief eingeprägt. Bis heute sind es für mich die schönsten zwei Wochen meines ganzen Lebens geblieben. Natürlich vollzog sich die Weltgeschichte nicht nur in diesen Tagen. Die eigentlichen Entscheidungen waren schon viel früher gefallen. Doch 1945 kulminierte alles in den Tagen der lang ersehnten und so schwer erkämpften Beendigung des furchtbaren Krieges, die zugleich den Beginn eines Neuanfangs ermöglichte und manifestierte. Und ich war eben dabei gewesen, kann und soll dafür heute noch dankbar sein. Freude und Trauer verschmolzen miteinander. In einem russischen Lied hieß es später zu Recht: »Tag des Sieges, Stunden der Freude wie Tränen aus Trauer«. (…)

Es war der 23. oder 24. April, als ich nach zehn Jahren wieder Berliner Boden betrat. Die ersten Einsätze führten mich nach Friedrichshagen und Köpenick. Die Front verlief unmittelbar an der Spree bzw. am Ufer des Müggelsees. Mir kam in Erinnerung, daß ich hier schon im kalten Winter 1928/29 mit meinem Vater war. Von Steglitz her waren wir mit der Straßenbahn bis nach Friedrichshagen gefahren und sind dann über den zugefrorenen Müggelsee nach Rübezahl gelaufen. An diesem Tag waren es zumindest morgens etwa minus 30 Grad, worauf mein Vater aber wohl nicht geachtet hatte. Ich erfror mir eine Wange, weshalb mir der Ausflug auch so gut im Gedächtnis blieb. Ich erinnere mich auch an eine Tasse herzhafter heißer Brühe in der Gaststätte Rübezahl. Wohl schon deshalb, weil es damals mein erster Besuch eines Lokals war. Der Vater war zu dieser Zeit schon erwerbslos, blieb es auch bis 1933, trotz seiner Ausbildung als Ingenieur. Unser Leben war dementsprechend recht bescheiden.

Jetzt war ich wieder hier, dachte an die ferne Vergangenheit, ohne natürlich etwas wiederzuerkennen. Diesmal ging es bei dem Einsatz nicht nur um propagandistische Sendungen. Wir sollten durch das Abspielen spezieller Platten auch Geräusche vortäuschen, die auf Aktivitäten zur Überquerung der Spree und Dahme an Stellen hinweisen konnten, wo dies gar nicht vorgesehen war. Das letztere erwies sich aber dann nur zum Teil als erforderlich. Die Soldaten in den einzelnen Einheiten hatten nicht erst die Übermittlung der militärischen Pläne des Armeekommandos abgewartet, sondern Boote aufgegabelt oder schnell irgendwelche Flöße zusammengezimmert und sich mit ihnen übergesetzt. Auch dort, wo es die deutschen Stäbe nicht erwartet hatten. Die »Lange Brücke«, die Köpenick mit Adlershof verbindet, auch die Eisenbahnbrücke an der Wuhlheide wurden nicht mehr gesprengt. Später hörte ich, daß unsere Sendungen mit dazu beigetragen haben sollen, daß die deutscherseits geplanten Zerstörungen verhindert wurden. Verbürgen möchte ich mich dafür aber nicht.

An einem dieser Apriltage erhielt ich auch einen ganz anderen Auftrag. Ich wurde nach Rüdersdorf geschickt, wo in den Stollen der dortigen Kalkberge Tausende Zuflucht gesucht hatten. Es waren sowohl Bewohner der unmittelbaren Umgebung als auch viele Flüchtlinge, vor allem solche, die aus dem Gebiet zwischen Oder und Berlin erst kürzlich evakuiert worden waren, auch ältere Menschen, viele Frauen und Kinder, die sich seit Monaten, schon seit dem Januar aus ihren Wohnorten östlich der Oder auf der Flucht befanden. In Rüdersdorf war dies meine erste Begegnung mit so vielen Menschen aus der Zivilbevölkerung, mit eindeutig deutschen Opfern des Krieges, ihren Nöten und Sorgen. Bis zur Oder und noch mehr dann bis Müncheberg hatte ich fast nur menschenleere Orte gesehen. Höchstens einige Gespräche mit einzelnen Familien waren möglich gewesen. Mein offizieller Auftrag in Rüdersdorf lautete, die Menschen über die allgemeine Lage und die Ziele der sowjetischen Besatzungspolitik aufzuklären, so den Nachwirkungen der Goebbelspropaganda wie auch anderen Befürchtungen, sicher auch berechtigten, entgegenzutreten.

Nach meiner Erinnerung ging ich in meinen Ansprachen sowohl vor größeren als auch kleineren Zuhörerkreisen auch auf die Vorstellungen des Nationalkomitees »Freies Deutschland« für die Gestaltung der Zukunft Deutschlands ein. Verständlicherweise bewegte die Menschen zuallererst ihr persönliches ungewisses Schicksal. Was stand ihnen unmittelbar bevor? Gab es auch nur eine Hoffnung auf eine notdürftige Versorgung mit Lebensmitteln und sogar Wasser? Wie konnte das Los der Kranken zumindest etwas erleichtert werden? Befriedigende Antworten wußte ich bestimmt nicht. Mein Auftrag erstreckte sich auch darauf, daß ich die Bildung einer Art Selbstverwaltung anregen sollte, die dann mit der örtlichen Militärkommandantur zusammenarbeiten sollte, um so ein drohendes Chaos abzuwenden oder wenigstens in seinen Ausmaßen zu lindern. Schon die Genehmigung für eine solche Selbstverwaltung wurde mit Überraschung aufgenommen. Aber die Ungewißheiten blieben natürlich. Ich weiß auch nicht, ob und wie die neueingesetzte Militärkommandantur und ihre Beauftragten für die Flüchtlinge in Rüdersdorf ihre Pflichten erfüllten.

Nicht nur in Rüdersdorf, auch in Schöneiche wie in Köpenick und Friedrichshagen nutzte ich jede Möglichkeit, um mit Männern und Frauen aus der Bevölkerung zu sprechen, mir ein Bild von ihrer Stimmung zu machen. Ich wollte wissen, mit welcher vorherrschenden politischen und sonstigen Atmosphäre wir es in Nachkriegsdeutschland zu tun haben werden. So unterschiedlich die Antworten, ob auf allgemeinere oder gezielte Fragen, wie überhaupt die Meinungen auch waren, in einem stimmten fast alle überein. Jetzt sei endlich alles vorbei. »Lieber ein Ende mit Schrecken als Schrecken ohne Ende.« Das war ein geflügeltes Wort, das ich immer wieder hörte.

Der Zusammenbruch war so total wie nie zuvor in der deutschen Geschichte. Damit verbunden ein Stimmungstief, das Gefühl der eigenen Ohnmacht. Die Menschen sahen sich der Gnade der Sieger ausgeliefert, erwarteten diese aber nicht. Vorherrschend war die Angst vor Vergeltung, auch wenn kaum jemand es wagte, das so zu formulieren. Erst in längeren Gesprächen, und auch dann durchaus nicht immer, konnte man wahrnehmen, daß doch die meisten von den Verbrechen gewußt oder geahnt hatten, die von Deutschen und im Namen Deutschlands begangen worden waren. Vieles war zweifellos nicht durchgedrungen, doch spürte ich bereits 1945 nicht eine allgemeine Unwissenheit, sondern eine begründete Furcht vor bevorstehender Buße wie aufgezwungenen Leistungen für vielfältige Wiedergutmachung.

Auffallend war zugleich, daß ich niemanden fand, der damals auch nur zögernd das NS-Regime, den Krieg, ja selbst die Entwicklung von 1933 bis 1939 in Schutz nahm. Später oftmals geäußerte Bilanzierungen von positiven und negativen Aspekten – als Beispiel sei einerseits die angeblich schnelle Überwindung der Massenarbeitslosigkeit, andererseits der Kriegsbeginn genannt, wobei dies mitunter als »Hineinschlittern« drapiert wurde – hörte ich im April/Mai 1945 nicht. Selbst zu den positiven Traditionen in der ferneren deutschen Vergangenheit bekannte sich eigentlich niemand. An die Stelle eines Restes von Nationalstolz war eine Unterwürfigkeit getreten, die bis zu Würdelosigkeit ging, eben dem völligen Gegenstück zur fürchterlichen Überheblichkeit eines »Herrenmenschentums«, die bis zuletzt eingeimpft wurde. Zudem gaben sich viele als Kommunisten oder Sozialdemokraten aus, obwohl sie es nie gewesen waren. Meist kannten sie nicht einmal die Namen ihrer Parteiführer oder die Embleme von KPD und SPD. Niemand gab sich als Pg., als Mitglied der Nazipartei oder einer ihrer Gliederungen, nicht einmal als irregeführter Wähler von 1932/33 aus. Das war menschlich verständlich, weckte aber nur noch höheres Mißtrauen, selbst bei jenen, die keineswegs der falschen These von der deutschen Kollektivschuld, und sie war verbreitet, huldigten.

Es muß der 25. April gewesen sein, als unsere 7. Abteilung nach Berlin-Johannisthal verlegt wurde. Noch in Köpenick mußte ich den LKW verlassen. Entweder war er in einem Stau steckengeblieben oder hatte einen Motorschaden. So machte ich mich zu Fuß auf und erreichte das zugewiesene Quartier in einem dreistöckigen Haus am Segelfliegerdamm, als es von meinen Kameraden bereits bezogen war. In einer der Wohnungen dieses Hauses bot sich uns ein schrecklicher Anblick. Eine ganze Familie, Mann, Frau und zwei größere Kinder, hatten sich umgebracht. Genauer gesagt, der Mann hatte erst seine Frau und die Kinder und dann sich selbst erschossen. Nun lehnten sie in Armsesseln rund um einen Tisch in der »guten Stube«. Von den Nachbarn erfuhren wir, daß der Mann ein kleinerer oder mittlerer Funktionär der Nazipartei gewesen sei, also kein großer Bonze. Er habe aber immer als erster bei allen Anlässen die Hakenkreuzfahne gehißt, wäre aber sonst nicht groß in Erscheinung getreten, von allen als ganz normaler Bürger betrachtet worden. Vielleicht hatte er aber doch schlimmere Verbrechen verübt und fürchtete die Vergeltung. Oder aber er hatte der Goebbelspropaganda, die er lange wohl auch selbst verbreiten half, geglaubt. Die Wohnung blieb natürlich leer. Niemand verspürte Lust, hier selbst zeitweilig Quartier zu beziehen.

Viele Tote habe ich in den vier Kriegsjahren gesehen. Mir völlig fremde wie auch nahe, Gefallene, Ermordete, Gehängte, Vergaste. Doch hat sich mir dieser Anblick der toten Familie in Berlin ganz besonders tief eingeprägt. Begründen kann ich es nicht.

GÜNTHER VAN NORDEN

Ich war ein frommer Hitlerjunge

Der 1928 in Köln geborene van Norden wächst in einer evangelischen Kaufmannsfamilie auf. Bereits früh engagiert er sich sowohl in der Kirche wie auch in der Hitlerjugend, wovon er im folgenden erzählt.

Nach dem Krieg studiert van Norden Geschichte, Philosophie, Germanistik, Kunstgeschichte und Psychologie und promoviert 1955 über die Stellung der Evangelischen Kirche zum NS-Staat 1933. Fünf Jahre arbeitet van Norden als Lehrer, bevor er Dozent und anschließend ordentlicher Professor für Neuere Geschichte an der Pädagogischen Hochschule, später der Bergischen Universität in Wuppertal wird. Sein Credo, daß Wissenschaft sich nicht allein in esoterischen Forschungen erschöpfen darf, sondern stets auch die gesellschaftliche Relevanz für den Menschen im Sinn haben sollte, findet seine Entsprechung in seinem Engagement sowohl innerhalb der evangelischen Kirche wie auch in der Politik. So kämpft er zum Beispiel gegen die Notstandsgesetze von 1967/68, und zwar aus der Befürchtung heraus, die noch vergleichsweise junge Demokratie könnte Schaden nehmen. Gedankengänge, die wiederum auf seinen Erfahrungen mit der NS-Zeit beruhen. Van Norden hat zahlreiche Bücher und Aufsätze zur Kirchengeschichte und zur Geschichtsdidaktik veröffentlicht. Seit 1993 emeritiert, lebt er heute in Bonn.

Als am 12. April 1945 britische Panzer in das niedersächsische Städtchen Celle hineinrollten, hockte ich im Keller eines unbewohnten Hauses und beobachtete neugierig das Geschehen. Kurz zuvor war ich meiner Mutter entwischt – der Vater war im Krieg –, die mit ihrer Schwester und deren Mann sowie dem »Dienstmädchen« in einer Stimmung von Weltuntergang und Erleichterung die letzte Flasche Cognac leerte. Es war ja doch alles zu Ende.

1943 war ich mit meiner Mutter von Nürnberg nach Celle gekommen, weil der große Bombenangriff auf die »Stadt der Reichsparteitage« in der Nacht vom 10. zum 11. August das Haus, in dem wir wohnten, zerstört hatte. Glücklicherweise war Ferienzeit, die ich in Finkenkrug bei Berlin in der Süßmosterei meiner Tante in herrlicher Freiheit genoß. Ich hörte von der Katastrophe, von ihr berührt war ich nicht. Vielleicht war ich sogar froh, nicht mehr nach Nürnberg zurückzumüssen.

1941 von Essen nach Nürnberg umgezogen, um den Luftangriffen auf das Ruhrgebiet zu entgehen, war dies ein Umzug »vom Regen in die Traufe«. Ich habe mich in den zwei Jahren, die ich dort verbrachte, nicht wohl gefühlt, obwohl mein bester Freund Heinrich aus Essen mitgekommen war und wir viel Spaß miteinander hatten. Selbst in den Bombennächten ahnten wir offenbar überhaupt nicht die Gefahr, in der wir uns in unserem Luftschutzkeller befanden, im Gegenteil, wir erlebten sie als Abenteuer: Etwa wenn wir uns leise von hinten an unser vor Angst zitterndes »Dienstmädchen« Johanna heranschlichen und plötzlich mit lautem Gebrüll auf sie losstürzten, als ob eine Bombe eingeschlagen wäre; oder als ich auf dem Flachdach unseres Hauses stand und versuchte, mit einem Wasserschlauch das Feuer vom Nebenhaus einzudämmen, bis die Hausmeistersfrau kam, mir den Schlauch entriß und mich runter zu meiner Mutter schickte, der ich wieder mal entwischt war. Was mich noch dazu besonders empörte, war, daß diese liebe Frau Gugel für ihren tapferen Einsatz einen Orden bekam und nicht ich!

Nürnberg! Es ist noch mit zwei anderen Erinnerungen verbunden. Auf unserem Schulweg begegnete uns fröhlich und laut schwadronierenden Jungen jeden Morgen ein alter, gebückter Mann in schwarzem Mantel mit einem großen gelben »Judenstern«, der auf die andere Straßenseite auswich, wenn er uns von weitem kommen sah. Es erstaunte mich. Aber ich dachte nicht weiter darüber nach, sondern zog fröhlich weiter. Trotzdem habe ich diese Szene nicht vergessen.

Die andere Erinnerung: Ich lieh mir von unserem Hausmeister gern den ›Stürmer‹ aus, dessen ekelhaft obszöne Karikaturen ich neugierig betrachtete. Als mein Bruder Hans, Soldat auf Urlaub und Theologiestudent in Erlangen, die Zeitung in meinen Händen sah, befahl er mir zornig, das »Schweineblatt« sofort zurückzubringen, was ich beschämt, aber ohne jedes Verstehen tat.

Ein Jahr später, im Sommer 1942, starb Hans, 21jährig, in Rußland den »Heldentod für Führer, Volk und Vaterland«. Weinend lag ich im Bett, ich hatte meinen großen Bruder sehr lieb. Kurz vor seinem Tod schrieb er an unsere Mutter: »Wenn ich falle, dann falle ich nur in die Arme Gottes und wir sehen uns in jener anderen Welt.«

Während Nürnberg in meiner Erinnerung insgesamt negativ besetzt ist, leuchtet Celle zunächst. Die Schule interessierte mich zwar nicht, aber ich fand viele Freunde, besonders im hochqualifizierten Kirchenchor, der Kantorei – und in der sehr guten Musikspielschar der Hitlerjugend! Wir sangen sonntags in der schönen Stadtkirche zur Ehre Gottes und zur Freude der lutherischen Gemeinde – und samstags bzw. mittwochs in den Celler Lazaretten zur Ehre Hitlers und zur Freude der verwundeten Soldaten. Ich ging gern zu den Übungsstunden der HJ-Musikspielschar, geleitet von unserem Musiklehrer, der zugleich unser Gefolgschaftsführer war, besonders gern, weil ich mich hier in eine Mitsängerin verliebt hatte. Ich ging auch gern in Hitlerjugenduniform zur Bibelstunde unseres Pfarrers Weih.

Ich bemerkte überhaupt nicht, daß meine beiden Aktivitäten, in Kantorei und Musikspielschar, in Bibelstunde und HJ, nicht ganz zusammenpaßten, das sagten mir weder meine Verwandten noch der Pfarrer, noch der HJ-Führer; vielleicht paßten sie ja auch zusammen: ein zwar bekennendes, aber völlig unkritisches, weil unpolitisches Christentum, allein auf den Herrn Jesus und das Seelenheil bezogen, und ein Nationalsozialismus, der die kirchlichen Rituale und Kasualien schonte. Warum sollte er es auch nicht? Eine Kirche, die sein verbrecherisches Tun nicht störte, brauchte er auch nicht zu stören.

Erst sehr gegen Ende des »Dritten Reiches« stellte uns unser Musiklehrer/HJ-Führer vor die Entscheidung: Entweder ihr seid Hitlerjungen, oder ihr geht in die Kantorei! Er drohte uns mit der »Pflicht-HJ«, falls wir uns für die Kantorei entscheiden würden. »Pflicht-HJ« war für uns »bürgerliche« Kinder das letzte, was wir wollten, hier wurden die aufmüpfigen, »frechen« Jungen aus den Schichten, über die wir uns erhaben fühlten, »geschliffen« und schikaniert. Ich entschied mich für die HJ-Musikspielschar. Alle meine Klassenkameraden waren in einer der attraktiven »HJ-Gefolgschaften«, z. B. der Motor-HJ oder der Flieger-

HJ, keiner in der mit Naserümpfen bedachten »Pflicht-HJ«. So konnte ich also die Matthäuspassion von Heinrich Schütz, die die Kantorei am Sonntag, dem 25. März 1945, in der Stadtkirche aufführte, nicht mitsingen, sondern nur zuhören.

Diese erzwungene Entscheidung hat mich belastet, aber sie hat weder meinen Glauben an den Nationalsozialismus noch an das Evangelium in Frage gestellt. Auch die mich verletzende strenge Ermahnung meines Musiklehrers/HJ-Führers, ich solle erhobenen Hauptes durch die Stadt gehen und nicht mit gesenktem Kopf – wegen der Folgen einer Kinderlähmung ging ich vorsichtig und hielt die Augen oft auf den Boden, um nicht zu stolpern –, hat in mir keine Zweifel an der Qualität meiner nationalsozialistischen Vorbilder geweckt. Ich war offenkundig so stark in den NS-Wahn verstrickt, daß ich viel betroffener war, als manche Erwachsenen kritisch und sogar abfällig über den NS-Staat sprachen, z. B. mein Vater und sein Schwager Hans, die auf einem Spaziergang durch den Celler Schloßgarten meinten, es sei doch nicht richtig, daß Pastor Niemöller schon so lange im KZ sei. Ich war empört und korrigierte sie: »Wenn Niemöller im KZ ist, dann hat er auch was verbrochen, und es ist richtig, daß man das tapfere deutsche Volk vor einem Volksverderber beschützt!« Die Erwachsenen schwiegen bestürzt. Als Onkel Hans im Angesicht der unbehelligt über uns in Richtung Berlin hinwegdonnernden Luftgeschwader der Alliierten unvorsichtig zu mir sagte, es habe einmal einer Meier heißen wollen, wenn irgendwann feindliche Flugzeuge ungestört über Deutschland fliegen könnten, schrieb ich dies in meinem wöchentlichen Brief an meinen Vater in Amsterdam, ich fände es unerhört, daß Onkel Hans so schändlich von unserem Reichsmarschall Göring spreche, und überlegte mir, ob ich ihn nicht anzeigen müsse. Mein Vater, froh, daß der Brief nicht kontrolliert worden war, antwortete umgehend und seinerseits sehr vorsichtig, »das« habe Onkel Hans doch überhaupt nicht so gemeint. Mein Irrsinn ging so weit, daß ich mit meinem Freund einen anonymen Brief an seine kritische Mutter schrieb: Wenn sie nicht ihre abfälligen Bemerkungen über den »Führer« und seine Partei sein lasse, werde sie angezeigt, denn sie falle damit der »tapferen Front« in den Rücken.

Die »tapfere Front« rückte näher. Was konnte ich für meinen Führer tun? Am 16. Dezember 1944 war ich von der Musterungs-Kommission wegen der Folgen meiner Kinderlähmung für »völlig untauglich zum Dienst in der Wehrmacht« erklärt worden. Nicht einmal zum Reichsarbeitsdienst oder Volkssturm wollte man mich heranziehen! Es war ein schwarzer Tag für mich – ein Glückstag, so denke ich heute. Der einzige Dienst, den ich für das Vaterland leisten durfte, war, daß ich zeitweise im Büro des »Standortführers« der HJ irgendwelche Schreibarbeiten erledigte, Telefonate annahm oder mit Kurieraufgaben per Fahrrad betraut wurde. Am 31. Dezember 1944 schrieb ich in mein Tagebuch, nachdem ich vorher mit meiner Mutter im Silvestergottesdienst gewesen war: »Viele Fragen stellen wir an das neue Jahr, aber sie bleiben unbeantwortet. Wird im Jahr 1945 ein Sieg dem deutschen Volk beschert sein? Es muß so sein! Denn das deutsche Volk kann doch unmöglich untergehen. Wenn es ihm aber bestimmt ist, wird es tapfer untergehen.« Ich war völlig in dieser Dichotomie Sieg oder Untergang, die die NS-Propagandisten ständig verkündeten, befangen. Ich las zu der Zeit auch noch Felix Dahns völkischen Heldenroman ›Der Kampf um Rom‹, in dem die Goten in tapferem Kampfe gegen ihre bösen Feinde untergehen.

Ich wollte auch tapfer sein. Ich wollte mit der Armee Wenk den »Führer« in Berlin befreien, wollte meiner Mutter durchbrennen, obwohl unser Musiklehrer/HJ-Führer, jetzt verantwortungsvoll, uns Hitlerjungen in nebulösen Worten, aber verstehbar geraten hatte, in jedem Fall bei unseren Müttern zu bleiben. Ich blieb bei ihr, weil ich auch gar nicht wußte, wie ich meinen Plan, dem »Führer« zur Hilfe zu kommen, hätte verwirklichen sollen.

Am 8. April 1945 steht im Tagebuch: »Kleiner Angriff auf Celle! Gaswerk kaputt«. Was es mit diesem »kleinen Angriff« auf sich hatte, habe ich erst später erfahren. Ich kann es heute kaum fassen, daß die fürchterlichen Ereignisse, die Celle doch erschüttert haben müssen, mir damals unbekannt geblieben sind. Alliierte Flugzeuge bombardierten am Abend dieses Sonntags den Celler Bahnhof und trafen dabei auch einen Güterzug mit ca. 60 offenen Waggons, die voller ausgemergelter, entkräfteter Häftlinge waren, die nach Bergen-Belsen transportiert werden sollten. Hunderte starben. Die noch fliehen konnten, flüchteten und liefen unter dem Beschuß der SS-Wachmannschaften davon. Aber nicht nur die SS-Schergen jagten die Entflohenen, sondern auch bewaffnete örtliche NS-Größen, Celler Polizisten, Feuerwehrleute und Zivilisten beteiligten sich in einem hemmungslosen Exzeß der Unmenschlichkeit an der nächtlichen Treibjagd und haben offenbar wahllos auf die Fliehenden geschossen.

Auch vom nahen KZ Bergen-Belsen wußte ich nichts. Ich ging mit meiner Mutter häufig in das wunderschöne barocke Schloßtheater von Celle. Da saß ich fein angezogen inmitten satter und zufriedener Bürger. Idylle in einer schönen Stadt mit schmucken Fachwerkhäusern. Nebenan in Bergen-Belsen verhungerte Anne Frank im Dreck inmitten der Sterbenden. Der fromme, christliche Hitlerjunge wußte es damals nicht. 60 Jahre später überkommt mich im nachhinein immer aufs neue Scham und Schrecken.

Das Unglaubliche: Die Idylle blieb neben dem Verbrechen intakt. Bis zum Beginn der Osterferien am 30. März 1945 ging ich in die Schule, sofern der Unterricht nicht wegen Fliegeralarms ausfiel. Das geschah allerdings oft, wenn die Bombergeschwader über Celle hinweg nach Osten flogen. Dann traf ich mich mit meiner Freundin Hildegard, und wir spazierten gemeinsam nach Hause. Sonntags ging ich meistens in die Kirche, nach wie vor auch zur Bibelstunde; nach wie vor auch zum »Dienst« in der HJ-Musikspielschar. Am 3. April lautet der Eintrag im Tagebuch: »Heute hatten wir noch einmal Dienst. Es war sehr schön. Ich begleitete Hildegard nach Hause.«

Am 12. April war die Nazi-Herrschaft zu Ende. »Die Stadt fiel kampflos«, steht im Tagebuch. Aber der Nazi-Spuk war noch im Kopf. Ich legte eine neue Kladde an mit der Überschrift: »Die letzten Tage des Dritten Reiches«. Sie beginnt mit dem pompösen Satz, den ich am 3. Mai 1945 hineinschrieb: »Die nationalsozialistische Idee, diese erhebende Schöpfung unseres Führers, sinkt in den Staub. Aber sie wird nicht untergehen, solange noch ein vaterlandsliebender Deutscher lebt.« Die Befreiung von dieser Wahn-Idee geschah durch eine harte Konfrontation mit der Wirklichkeit. Einheiten der britischen Armee hatten am 15. April das Konzentrationslager Bergen-Belsen befreit. Ihnen hatte sich ein Bild des Grauens geboten. Überall im Lager verstreut lagen Leichen, die nicht mehr in die Massengräber hatten geschleppt werden können; in den Baracken vegetierten fast verhungerte Skelette von Menschen, von denen rund 14 000 in den nächsten Tagen und Wochen noch dahinstarben. Eine Räumung des Lagers war wegen der grassierenden Fleckfieberepidemie zunächst ausgeschlossen. Ab Anfang Mai kamen größere Scharen befreiter Häftlinge nach Celle, ausgemergelte Gestalten, am Ende ihrer Kräfte, dem Tode näher als dem Leben. In meiner Erinnerung bewahre ich das Bild, wie sie zusammenbrechen und sterben. Ich bin mir heute nicht mehr sicher, ob ich sie wirklich habe sterben sehen, aber der Eindruck äußersten Elends war außerordentlich. Ich spürte das Grauen und begriff allmählich, daß die Urheber dieser Barbarei diejenigen waren, an die ich bisher vorbehaltlos geglaubt hatte. Mein naiver Glaube an den »Führer« zerbrach.

Dies war das Schlüsselerlebnis, das mich aus der Unmündigkeit befreite und den Prozeß eines eigenständigen, kritischen Denkens einleitete.

Die Neuorientierung vollzog sich in einer langwierigen Entwicklung. Am 20. Mai 1945 ergänzte ich meine oben zitierte Eintragung vom 31. Dezember 1944: »Das neue Jahr hat uns die Gewißheit gebracht, daß das deutsche Volk viele Sünden auf sich geladen hat und deshalb vom Herrgott so hart gestraft wird.« Es wird deutlich, daß ich die neue Orientierung dort fand, wo sie sich mir aus der Gewohnheit der bürgerlichen Familientradition anbot: in der evangelischen Kirche und ihren Versuchen, die Situation des deutschen Volkes und die Last der historischen Schuld mit theologischen Begrifflichkeiten – statt mit historischer Analyse – zu erklären. Ich habe dieses Angebot damals mit aller Intensität angenommen. Daß es mich nicht in neue Abhängigkeiten und geistige Verengungen führte, hängt mit der Liberalität des Protestantismus zusammen: Er läßt Türen offen und Autonomie zu.

Da noch keine Schule war, erprobte ich meine Kräfte als Kindergottesdiensthelfer, traf mich regelmäßig zu Andachten und sang wieder in der Kantorei. Überdies betätigte ich mich als Kurier für die Stadtbücherei, mahnte säumige Kunden, holte Bücher ab und durfte mithelfen, die Bibliothek von Nazibüchern zu reinigen! Es hatte also alles sehr schnell wieder seine bürgerliche Ordnung gefunden. Der Glanz dieses sonnigen Sommers 1945 rührte aber vor allem daher, daß ich verliebt war und mich fast täglich mit meiner Freundin traf zum Spazierengehen, zum Schwimmen in der Aller, zum Beerenpflücken.

Am 17. August 1945 kehrte mein Vater aus amerikanischer Gefangenschaft zurück. Er hatte noch am 5. April 1945 aus Landshut, wohin er mit seiner Dienststelle der Luftwaffe versetzt worden war, geschrieben: »Was kann man seinen Liebsten (...) anderes wünschen, als daß der Krieg ein baldiges Ende nehmen möchte, nachdem es gelungen ist, doch noch eine Wendung zum Besseren zu erzwingen. Aber was sich vor unseren Augen abspielt, läßt uns dies kaum noch erhoffen. Es kann nur noch ein Wunder geschehen. Die ganze Welt will unseren restlosen Untergang. Und es scheint so, als ob eine höhere Bestimmung dem nicht Einhalt zu bieten gewillt ist. Warum das so sein muß, können wir kurzsichtigen Menschen nicht erkennen. Und so bleibt uns nur eins, uns zu wehren, solange wir können, und dann anständig zu sterben (...) Es muß wohl so sein. In dieser schweren Lage hilft keine trostlose Verzweiflung. Man muß dem Unvermeidlichen kalt und klar ins Auge sehen. Das verlangt das Andenken an unsere gefallenen Söhne, das große Leid, das unser ganzes Volk betroffen hat. Sich wehren bis zum Äußersten ist ein Gebot der Vernunft. Ein Leben ohne jede Würde ist nicht zu ertragen. Für uns gilt fürwahr das Wort: Lieber tot als Sklave.« Der Schluß des Briefes lautet: »Gott sei mit Euch allen. Vergeßt mich nicht.« Der Brief zeigt eine ähnliche Gefühlsstruktur, die auch mich – und viele in Deutschland damals – beherrscht hatte: Die göttliche Dichotomie von Gut und Böse, das Entweder-Oder von Untergang oder Sieg, das Drama des letzten Entscheidungskampfes, in den das deutsche Volk hineingeht »wie in einen Gottesdienst«, das der geniale Propaganda-Dramaturg Goebbels so tief in viele deutsche Herzen eingebrannt hatte, so daß sie schließlich wirklich daran glaubten. Oder doch nicht? Das »Gebot der Vernunft«, von dem mein Vater sprach, hat ihn glücklicherweise schließlich doch bewogen, sich nicht bis zum Äußersten zu wehren, sondern sich in Rosenheim den Amerikanern zu ergeben. Er kam dann in eins der Hungerlager bei Sinzig am Rhein, wo er sich eine lebenslange Tuberkulose zuzog, die schon im August zu seiner Entlassung führte. Ich hatte meinen Vater seit Kriegsbeginn 1939 – da war ich zehn Jahre alt –

nur während seiner kurzen Urlaubszeiten gesehen, aber wir schrieben uns oft, ich mochte ihn sehr, er war ein liebevoller, verständnisbereiter, großzügiger Vater. Jetzt, im August 1945, begegnete ich, 16jährig, ihm mit zwiespältigen Gefühlen der Liebe und des Mißtrauens: Hatte der vorbildliche Vater den Nationalsozialismus unterstützt? Warum war er in der Partei? Warum hat er sich nicht gewehrt? Warum hat er mich nicht gewarnt? Was hat er alles in Amsterdam gesehen? Wußte er nichts von den Verbrechen der Nazis? Ich habe die hilflosen, wenig hilfreichen, kargen Antworten meines angeklagten und schuldbewußten Vaters im Ohr: »Was sollte ich denn machen? Ich hatte doch eine Frau und drei Kinder«, und meine Selbstgerechtigkeit im Gedächtnis. Das einzige, was er mir erzählte, war, daß er einmal ein Exekutionskommando habe anführen sollen, aber er habe sich krank gemeldet und ein anderer Offizier habe den Befehl ausgeführt.

Am 22. Oktober 1945 kehrten wir nach Essen zurück, auch meine Schwester Hedi, die inzwischen eine Ausbildung zur medizinisch-technischen Assistentin gemacht hatte, war aus Finkenkrug bei Berlin zu uns gestoßen. Zwei Wochen später begann die Schule. Und sehr bald fand ich Anschluß an den Schülerbibelkreis (BK) des faszinierenden und charismatischen Jugendpfarrers Wilhelm Busch, der im Weiglehaus eine ungemein anregende und beeindruckende Jugendarbeit betrieb. Hier lernte ich einen anderen Protestantismus kennen: einen pietistisch-evangelistischen – heute würde man wohl sagen: fundamentalistischen – Glauben an die Autorität und Totalität der Bibel als des unantastbaren Wortes Gottes, der zugleich, merkwürdigerweise, offen war für die großen bürgerlichen Bildungstraditionen der Vergangenheit und diese wiederum kritisch reflektierte – wir lasen z. B. in Buschs Studierzimmer Goethes ›Faust‹ und diskutierten heftig die Probleme, die uns hier begegneten, während PB, so nannten wir Pastor Busch, genußvoll an seiner Zigarre sog und uns lediglich durch kurze, treffende Denkanstöße zu neuem Nachdenken anregte. Er war ein tiefgläubiger, frommer, ungemein temperamentvoller, sehr gebildeter, lebensfroher und genußfreudiger Mann, der mich sehr geprägt hat. Ich erfuhr auf einer der Freizeiten im Lipper Land meine »Bekehrung« – sie ist im Tagebuch datiert: die Eingebung, daß ich durch Jesus von der »Sündenmacht« befreit und erlöst sei, ihm nachzufolgen. Das war für mich ein ungeheuer tief bewegender Anstoß, von nun an für die Sache Jesu einzustehen und den Kindern der »Welt« zu sagen, daß auch sie der Erlösung durch Jesus bedürfen. Mir war das sehr ernst und wichtig. Jedoch mir war auch bewußt, daß ich selbst sehr gern ein »Weltkind« war und insofern auch der »Sündenmacht« verfallen, aber ich lebte in der »lebensnotwendigen Hoffnung der Vergebung und Erlösung durch Jesu Liebe«. Es war eine Doppelexistenz: Ich war ein frommer junger Mann, der unentwegt in Bibelstunden und religiösen Gesprächskreisen tätig war – einerseits. Anderseits feierte ich wie alle anderen jungen Menschen gern Feste mit meinen Klassenkameraden, auf denen wir unsere Trinkfestigkeit mit selbstgebranntem Schnaps erprobten, ging neugierig zu wechselnden Rendezvous, besuchte Sinfoniekonzerte und Theateraufführungen, diskutierte heftig mit Altersgenossen, las viel: Jean-Paul Sartre, André Gide, Graham Greene und außerdem alles, was mit der Aufarbeitung der NS-Vergangenheit zu tun hatte, denn mit meinem Mentor Busch ergab sich kein rationaler Diskurs über die jüngste Vergangenheit. Wie viele andere blieb er stehen auf der schlichten theologischen Interpretationsebene von »Dämonie« bzw. dem »Tier aus der Tiefe«, das im Nationalsozialismus erschienen sei.

Ostern 1948 machte ich Abitur, mein Studium begann ich im Wintersemester 1948/49, doch sowenig die Schule und der Schülerbibelkreis geholfen hatten, Wissen über die jüngste Vergangenheit zu vermitteln, geschweige Kritikfähigkeit und Einsicht zu ermöglichen, so wenig sah offenkundig auch die Universität und hier die Geschichtswissenschaft ihre Aufgabe darin, die Studenten mit den fundamentalen Strukturen des Nationalsozialismus und des »Dritten Reiches« zu konfrontieren, geschweige sie zum Nachdenken über Widerstand, Versagen und Schuldübernahme anzuregen. Ich studierte bei den werdenden Größen der Geschichtswissenschaft der Nachkriegszeit, unter anderen bei Theodor Schieder und Karl Dietrich Erdmann. Sie hatten in der Zeit des »Dritten Reiches« am Beginn ihrer erfolgreichen Karriere gestanden, aber wir braven Studenten kamen nicht auf die Idee, sie, die unsere verehrten Lehrer waren, nach ihren Eindrücken, ihrem Verhalten, ihren Bewertungen des Nationalsozialismus intensiv zu befragen. Und sie fühlten sich auch nicht veranlaßt, mit uns darüber zu sprechen. Ich hörte begierig fast alle Vorlesungen bei Schieder, war fasziniert von seiner kühlen, distanzierten Art des Vortrags, von der Logik seiner Darstellung und Argumentation. Das 19. Jahrhundert und die vergleichende Nationalismusforschung waren das weite Feld seiner Arbeit: Restauration, Kaiserreich, das Zeitalter der nationalen Bewegungen, auch die Geschichte der politischen Ideen in der Frühen Neuzeit. Aber so nah er auch dem Thema »Nationalsozialismus« war, so fern war er einer Auseinandersetzung mit ihm, geschweige mit seiner eigenen Beteiligung als Königsberger Wissenschaftler an der Grundlegung einer neuen aggressiven antipolnischen und antijüdischen Siedlungspolitik im Osten. Am ehesten waren die Vorlesungen und Seminare Karl Dietrich Erdmanns geeignet, mir, dem jungen Studenten der Geschichte, Auskunft zu geben über die Fragen, die mich bewegten: Wie es denn zu all dem gekommen ist, was ich da erlebt hatte, Krieg und »Heldentum«, Faszination und Fanatismus, Anpassung und Denunziation, vor allem, wie es zu den fürchterlichen Verbrechen gekommen ist, von denen ich ja nur einen kleinen Ausschnitt gesehen hatte. Erdmanns Seminare zu Themen der Weimarer Republik (Stresemann) und der Lutherforschung (Widerstandsrecht bei Luther?) waren für mich die ersten großen innovativen Begegnungen mit der Wissenschaft. Aber auch er schwieg beharrlich zu seinen eigenen literarischen Produktionen im »Dritten Reich«, mit denen er sich den braunen Machthabern angedient hatte. Davon ahnten wir nichts, im Gegenteil: Da er selber sich äußerst kritisch zum Verhalten von Nazi-Wissenschaftlern äußerte, hielten wir ihn für einen widerständigen Mann. Unabhängig davon aber haben seine Denkanstöße und seine Problematisierungen mich auf den Weg geführt, auf dem ich dann in den folgenden Jahren lernte, das Umfeld des Jahres 1945 gerade auch im Bereich der kirchlichen Zeitgeschichte genauer zu analysieren und dann auch selbst zu vermitteln. Dies blieb das Thema meiner wissenschaftlichen Arbeit bis heute.

Eva Ebner

Danziger Erinnerung

Als die 1922 in Danzig geborene Eva Ebner vier Jahre alt ist, stirbt ihre jüdische Mutter. Bald darauf heiratet ihr christlicher Vater erneut. Damit beginnt für Eva Ebner ein langes Martyrium: Von der »arischen« Stiefmutter als »Judendreck« beschimpft und drangsaliert, verläßt Eva Ebner sechzehnjährig ihr Elternhaus und beginnt in einer jüdischen Firma als Sekretärin zu arbeiten. Nach deren Übernahme durch »Arier« fliegt sie aus ihrem Job. Auch ihre möblierten Zimmer muß sie immer wieder verlassen, da die fanatische Stiefmutter sie wiederholt bei den Vermietern als »Halbjüdin« denunziert.

Knapp überlebt sie den Krieg, wovon sie im folgenden erzählt. Nach 1945 kommt sie nach Berlin und arbeitet für die amerikanische Besatzungsbehörde. Mitte der fünfziger Jahre geht sie zum Film. Zunächst zu Max Ophüls, der dem Scriptgirl bescheinigt, »richtig gut« zu sein. Eva Ebner arbeitet bald als Regieassistentin, und zwar für die erfolgreichsten deutschen Regisseure jener Jahre: Fritz Lang, Wolfgang Staudte, Alfred Vohrer und viele weitere. Unter anderem ist sie in den sechziger Jahren an mehreren Edgar-Wallace- und Winnetou-Verfilmungen beteiligt. In einem Alter, in dem andere sich zur Ruhe setzen, beginnt sie eine neue Karriere: Mit 64 Jahren wird sie Schauspielerin.

Eva Ebner hat bis heute als Regieassistentin bzw. Darstellerin in mehr als 400 Filmen mitgewirkt, steht noch immer vor der Kamera und gibt außerdem ihre Erfahrungen in Regieassistenz-Seminaren an die junge Generation weiter. Sie lebt mit ihrem indonesischen Lebensgefährten in Berlin.

Meine Kindheit und Jugend als Tochter einer Jüdin haben mich geprägt. Bis Kriegsende war ich bestenfalls ein Nichts sowie ein ständig bedrohter Mensch, der keine Rechte und Perspektiven hatte, dem man nichts zutraute und vor dem man sich ekelte. Das hat mich geprägt und gelehrt, daß man es nicht nur allein mit Durchsetzungskraft zu etwas bringt, sondern mit Zurückhaltung und indem man den Verstand einsetzt und natürlich das Gefühl.

Es herrschte bereits Krieg, und erneut hatte mich meine Stiefmutter bei meiner Vermieterin denunziert, so daß mir das Zimmer gekündigt worden war. Ich ging in die Marienkirche in Danzig wie so oft. Denn dort gab es Orgelkonzerte, die meine trübe Stimmung milderten. Nach dem Konzert bemerkte ich, daß ich verfolgt wurde. Ich beschleunigte meinen Schritt, mein Verfolger ebenfalls. Ich wagte nicht, mich umzuschauen. Schon mehrfach war ich in Gestapo-Kontrollen geraten, auch verhört worden, doch war bisher alles glimpflich abgegangen, und zwar wegen meines »arischen« Vaters, inzwischen Offizier bei der Wehrmacht. Zwar kümmerte er sich nicht um mich, aber allein seine Existenz bewahrte mich vor dem Schlimmsten.

Mein Verfolger holte mich ein und wollte wissen, warum ich so ziellos umherlief. Ich bemerkte schnell, daß er kein Gestapomann war. Er fragte nicht inquisitorisch, sondern leise und anteilnehmend. Bald faßte ich Vertrauen und erzählte ihm mein ganzes Elend. Das war ein Glücksfall, denn es stellte sich heraus, daß ihn mein Schicksal nicht ungerührt ließ. Überdies handelte es sich bei diesem Herrn Wenck, als der er sich bald vorstellte, um einen international tätigen Holzhändler, dem in Danzig-Kaiserhafen die Firma Berghof gehörte, ein Unternehmen beachtlicher Größe, das auf dem Hafengelände ein Areal von zweihunderttausend Quadratmetern einnahm. Er machte mir das Angebot, bei ihm als Sekretärin zu arbeiten, und das, obwohl ich keine Papiere besaß. Danzig war bereits Teil des Großdeutschen Reiches, man hatte mir als »Halbjüdin« die Papiere und den Status des deutschen Staatsbürgers verweigert. So war ich nicht nur staatenlos, was ich noch hätte verschmerzen können, sondern erhielt auch keine Lebensmittelkarten, und das mitten im Krieg.

Wenck führte mich in eine Baracke auf seinem Holzlagerplatz und wies mir ein Zimmer zu. Es war groß und zugleich kärglich eingerichtet: ein Bett, ein Militärspind, in den ich meine wenigen Habseligkeiten hängen konnte, und ein verschnörkelter Schreibtisch sowie zwei Stühle.

Und was sah ich dann: ein Klavier! Mitten in diesem Elend hatte ich plötzlich ein Musikinstrument. Ich spielte die A-Dur-Sonate von Mozart, die ich überhaupt nicht beherrschte. Mit Sicherheit klang es schrecklich, doch für mich war es herrlich.

Im Zimmer links neben mir wohnte eine beleibte Polin, die als Putzfrau in Wencks Büro arbeitete, rechts von mir ein alter versoffener Mann, ein ehemaliger Sträfling, der als Bote und »Mädchen für alles« arbeitete. Alle waren wir aufgenommen worden von Wenck, wir, drei Ausgestoßene, Aussätzige.

Er war mein Retter. Ohne diesen anständigen Deutschen hätte ich nicht überlebt. Man könnte denken, daß sich der 50jährige an meiner Jugend schadlos hielt, doch so war es überhaupt nicht. Er war ein Mensch, der spürte, daß ein anderer Mensch in Not war, und er hatte die Möglichkeit zu helfen, und das tat er dann einfach. Manchmal denke ich, daß so vieles hätte anders ausgehen können, wenn es mehr von seiner Sorte gegeben hätte, Leute, die sich einfach menschlich verhalten in unmenschlicher Zeit.

Mit der Arbeit im Sekretariat bekam ich Einblick in die Arbeit Wencks. Er importierte Hölzer aus Skandinavien sowie Barackenteile und exportierte sie wieder; vielleicht lieferte er auch an Konzentrationslager seine Baracken und Holzteile. Diesen Gedanken hatte ich damals oft und vertrieb ihn sogleich wieder. Vielleicht fühlte er sich doch schuldig und versuchte an mir diese Schuld zu sühnen. Ich weiß es nicht. Die Menschen sind selten einfach nur gut, und meist sind es viele verschlungene Motive, die ein Handeln auslösen.

Von den Konzentrationslagern wußte ich. Ich hörte häufig verbotenerweise die BBC, doch war es auch eigenes Erleben, das mich bald zu der Erkenntnis brachte, daß in diesen KZs eine Hölle ausgebrütet wurde. Einmal noch erhielt ich kurz vor der Deportation meiner Großmutter mütterlicherseits einen Brief von ihr. Sie schrieb, sie solle nach einem Ort im damaligen Protektorat Böhmen und Mähren gebracht werden: Theresienstadt. Dann hörte ich nichts mehr von ihr. Genausowenig hatte ich Nachrichten von meiner Tante Teddy und ihrem Mann, die in Berlin lebten. Ich ahnte Schlimmes. Doch über das Ausmaß des Grauens, über den Holocaust, besaß ich damals keine genaue Vorstellung.

Erst nach dem Krieg erfuhr ich, daß meine Großmutter in Theresienstadt verhungert war und meine Tante und mein Onkel nach Auschwitz verschleppt und dort ermordet worden waren.

Das Areal rund um den Danziger Hafen war industriell gut erschlossen, nicht weit entfernt lag eine Chemiefabrik. Für deren Arbeiter gab es einen Tanta-Emma-Laden, geführt von einer rundlichen Frau um die sechzig mit Namen Schulz. Auch ihr vertraute ich mich an, und auch sie hatte Mitleid mit mir. Bei ihr konnte ich ohne Lebensmittelkarten kleinste Mengen einkaufen, und jeden Mittag bekam ich von ihr ein einfaches Stammessen [Mahlzeit, die ohne Lebensmittelkarten abgegeben werden konnte]. Als einzige in der Gegend hatte sie unter ihrem Haus einen ausgebauten Luftschutzkeller, der mit zunehmender Dauer des Krieges immer wichtiger wurde. In diesem Luftschutzkeller erlebte ich, zusammen mit rund einem Dutzend anderer Frauen und einigen Kindern aus der Gegend sowie Frau Schulz, den Einmarsch der Roten Armee, am 30. März 1945.

Als der Beschuß aufgehört hatte, pilgerten wir auf meine Initiative Richtung Stadt. Ich hoffte, zusammen mit dem Troß bei einer Freundin unterschlüpfen zu können, die mit ihren Eltern, die eine Marmeladenfabrik besaßen, in einer Villa in Langfuhr lebte, einem Vorort von Danzig. Doch waren die Villen in der Gegend bereits von russischen Soldaten »bewohnt«. Singend, grölend und betrunken, feierten sie ihren Sieg; eine Mischung aus Schreien, russischem Gesang und Erbrechensgeräuschen erfüllte die Luft. Ich wollte die Villa erkunden, schauen, ob wir dort zumindest die Nacht verbringen konnten. Ohne daß mich die Russen bemerkten, begab ich mich ins Hochparterre. Im Arbeitszimmer fand ich die Eltern meiner Freundin erschossen am Boden liegend – ob von eigener Hand oder von den Russen getötet, weiß ich nicht. Hier konnten und wollten wir nicht bleiben. Wir klapperten alle Villen der Gegend ab, und in einer erlaubten uns russische Soldaten endlich, im Keller Quartier zu nehmen.

Natürlich hatten wir von den Vergewaltigungen gehört, doch ich glaubte es nicht: Ich sah in ihnen die Befreier. Wie sehr hatte ich den Tag herbeigesehnt, an dem sie kamen und an dem die Nazis verschwänden.

Heute ist es schwer zu erklären und noch schwerer zu begreifen, was ich in jenen Tagen dachte und fühlte. Ich wollte nur mein nacktes Leben retten, irgendwo schlafen können, ein bißchen was zu essen haben. Weiter dachte ich nicht. Perspektiven, Pläne und Zukunft, all das, womit man sich in normalen Zeiten beschäftigt – das gab es nicht. Neben der Befriedigung der elementarsten Bedürfnisse lag es in meinem Interesse, mich mit den anderen Frauen gut zu stellen. Das fiel mir durchaus schwer, denn nicht wenige unter ihnen waren Nazi-Frauen, glaubten immer noch hundertprozentig an den Führer und an die Überlegenheit und Auserlesenheit des deutschen Volkes. Sie wußten, daß ich eine »Illegale« war, und ließen es mich ständig spüren. Ihre Macht und ihr Herrschaftsdünkel beschränkte sich nun auf unsere kleine Gruppe. Für mich bedeutete dies, daß ich überall dort vorgeschickt wurde, wo es gefährlich werden konnte. Und wenn es irgendwelche Vorräte gab, die wir in einem noch nicht komplett ausgeplünderten Laden oder Keller entdeckten, wurde ich als letzte bedacht. Ich spürte ihren Abscheu und ihre Mißgunst mir gegenüber, immer wieder mußte ich mich beweisen, meine Zugehörigkeit zu dieser Gruppe, die nur das Schicksal zusammengeführt hatte und die gemeinsam überleben wollte, rechtfertigen.

Als im Keller die Nacht hereinbrach, polterten mehrere Russen die Treppe herunter, schauten uns an und wählten einige aus, die mit nach oben kommen sollten. Wir wußten, was das bedeutet.

In diesem Moment schüttelten alle Frauen den Kopf und zeigten auf mich: Ich sei nicht verheiratet, sei die Jüngste, hätte keine Kinder – mich sollten sie mitnehmen.

Gut, dachte ich, ich mach es. Auf diese Weise könnte ich mich bei Frau Schulz dafür bedanken, daß sie mich jahrelang ernährt hatte. Ich wollte mich erkenntlich zeigen und niemandem etwas schuldig bleiben – so absurd es heute klingt. Zunächst schienen die Russen mit dieser Lösung zufrieden zu sein.

Als ich mich dann doch wehrte und schrie, schlug mir einer mit dem Knauf seiner Pistole mehrfach auf den Kopf; ich trug vier Löcher davon, blutete und wurde kurzzeitig ohnmächtig. Die Russen zogen mich an den Beinen durch den Kellergang und trieben mich johlend nach oben in die immer noch prächtigen Herrschaftszimmer. Die Kerle waren ausgehungert, waren geil, und sie hatten die Macht, alles zu tun, was ihnen gerade in den Sinn kam. Und sie taten es auf besonders grausame Weise: Nacheinander vergingen sich mehr als ein halbes Dutzend Soldaten an mir, hielten mir währenddessen eine Pistole an die Schläfe für den Fall, daß ich mich erneut wehren sollte. Ein zweiter richtete ein Gewehr auf mich, ein dritter drückte mir einen offenbar erbeuteten SS-Dolch an den Hals. Alles gleichzeitig. Und mein Kopf blutete immer stärker. Sie kratzten mich, kniffen mich in die Geschlechtsteile und in die Brüste und traten auf mich ein. Ich ließ alles geschehen. Eine falsche Bewegung und sie hätten mich getötet, daran ließen sie keinen Zweifel.

Die Tortur dauerte fast drei Stunden, sollte damit aber noch nicht zu Ende sein. Ein Offizier war auf das Geschehen aufmerksam geworden und forderte seinen Anteil an der Beute. Apathisch und kaum mehr in der Lage, mich auf den Beinen zu halten, folgte ich ihm ins Arbeitszimmer. Auf der Chaiselongue brach ich zusammen, vor Erschöpfung und Schmerz fing ich hemmungslos an zu weinen. Der Anblick dieses blutenden Häuflein Elends brachte ihn aus der Stimmung und ließ ihn sein Vorhaben aufgeben. Er beruhigte mich, streichelte mich, holte mir etwas zu essen und heißen Tee.

Kurz darauf betraten andere Soldaten das Arbeitszimmer und wollten mich ebenfalls vergewaltigen. Doch ich konnte nicht mehr, wollte nicht mehr, mir war alles egal, sollen sie mich doch töten, dachte ich. Vielleicht hätten sie es getan – wenn nicht der Offizier ihnen befohlen hätte zu verschwinden. Das war meine Rettung.

Die anderen Frauen fanden mich in tiefer Bewußtlosigkeit, schafften mich in den Keller, verbanden notdürftig meinen Kopf mit zerrissenen Hemden und packten mich in eine Kiste, die mit Decken und Kissen gefüllt war. Darunter versteckten mich die Frauen, ich konnte kaum atmen. Sie meinten es gut, wollten mein Leben retten. Einer der russischen Soldaten hatte mich nämlich gesucht: Wegen meiner Verwundungen müsse man mich töten. Warum, erfuhr ich später. Nach ein paar Tagen holten die Frauen mich aus der Kiste, benommen registrierte ich eine Reihe russischer Soldaten, daneben zwei Offiziere. Vor diesem Tribunal sollte ich aussagen, wer mich halbtot geschlagen hatte: »Wer war? Wer hat gemacht?« fragte einer der Offiziere drängend.

Ich sah mir die Soldaten an, schaute von Augenpaar zu Augenpaar, und ich sah die Angst in ihren Augen. Sie sollten bestraft werden für ihre Handlungen, wahrscheinlich wären sie erschossen worden, dergleichen hatte es gegeben, das wußte ich. Natürlich erkannte ich sie alle. Wie hätte ich sie vergessen können?

Es mag sich merkwürdig anhören, doch in diesem Moment dachte ich daran, was die Deutschen den Russen angetan hatten, und ich dachte daran, daß ich noch lebte und daß mir diese Vergewaltigungen zwar sehr viele Wunden und Schmerzen zugefügt hatten und daß die Angst, die ich zu durchleiden hatte, sehr, sehr groß war, doch daß ich an meiner menschlichen Würde nichts verloren hatte und daß es sich nicht lohnte, daß wegen dieser Vergewaltigungen auch nur ein einziger Mensch stirbt. Diese Kerle haben auch Mütter und Frauen, vielleicht Kinder, sie müssen kämpfen für einen Staat, den sie vielleicht lieben, vielleicht aber auch nicht; bei allem, was sie getan hatten, waren sie doch Menschen. Das alles huschte mir durch den Kopf, als ich auf diesem Schemel saß – vor mir in Todesangst aufgereiht meine Peiniger. Und erneut schaute ich mir alle an, und dann sagte ich: »Es war keiner von ihnen.«

Ich habe das Gefühl, dies war ein großer Moment meines Lebens, vielleicht der größte, den ich je hatte. Ich war über mich selbst hinausgewachsen. Ich hegte keine Rachegefühle.

Von nun an gaben uns die Russen zu essen, wir hatten einen besseren Stand bei ihnen. Doch erlebte ich diesen Stimmungsumschwung kaum bewußt, da mich eine große Leere erfüllte. Einige Tage später machte ich mich auf den Weg zur Weichsel: Ich wollte sterben. Ich sah keinen Ausweg mehr, keine Zukunft, kein Leben, das zu leben sich lohnt. Ich war so kaputt. Es war, als wäre alle Kraft aufgezehrt, die ich je hatte. Ich war 23 Jahre alt. Nur die Tatsache, daß ich auf dem Weg zur Weichsel ohnmächtig wurde, rettete mich. Leute fanden mich und brachten mich über Umwege wieder zurück in den Keller. Dort blieben wir noch ein paar Tage; die Angst vor dem Kriegsende war vorbei, wir hatten uns an die Situation gewöhnt. Und langsam löste sich die Gruppe auf. Jeder versuchte nun, sich allein durchzuschlagen.

Mir fiel die Wohnung meiner Eltern ein, die ebenfalls in Langfuhr lag. Die Nazis waren weg, dachte ich, also braucht sich mein Vater nicht mehr für mich zu schämen. Doch als ich dort anlangte, fehlte von meinem Vater jede Spur. Die Wohnung war mit Flüchtlingen belegt. Ich schaffte es, einen Schlafplatz zu bekommen.

Ich ging in ein Krankenhaus, damit meine Wunden versorgt wurden und festgestellt werden konnte, ob ich mir eine Geschlechtskrankheit zugezogen hatte oder vielleicht schwanger war. Doch hatte ich die Vergewaltigungen in dieser Beziehung unbeschadet überstanden.

Im Krankenhaus suchten sie Putzkräfte, und als Lohn winkten freies Essen und Trinken. Mehrere Wochen blieb ich dort, und ich sah auch meinen Retter Herrn Wenck wieder, der dort mit Tuberkulose eingeliefert worden war. Oft brachte ich ihm Suppe, doch war alles vergebens. Als die Deutschen vertrieben wurden – Danzig war ja nun polnisch –, starb mein Lebensretter auf dem Transport in den Westen.

Meine Situation als Deutsche, als die man mich ansah, obwohl ich ja strenggenommen gar keine war und sogar einen polnischen Ausweis als Opfer des Faschismus hatte, wurde zunehmend unhaltbar. Im Spätherbst 1945 sollte ich ebenfalls zwangsausgesiedelt werden. Man hatte unsere Straße für einen Transport nach Amrum vorgesehen. Warum man uns dort hinschicken wollte, wußte ich nicht. Doch weg mußten wir. Also bestieg ich mit vielen anderen einen der Viehwaggons, nichts bei mir außer meinem Rucksack, dessen wertvollster Inhalt, wie ich noch merken sollte, ein deutsch-englisches Wörterbuch war, das ich aus der Wohnung meiner Eltern mitgenommen hatte.

Auf dem Weg gen Westen hielt der Zug in Berlin, und einem spontanen Impuls folgend, beschloß ich auszusteigen. Wenn überhaupt einer meiner jüdischen Verwandten überlebt hatte, so dachte ich, dann wären sie nach Berlin zurückgekommen. Die traurige Erkenntnis, daß es niemanden mehr gab, hatte ich ja noch nicht. Die erste Nacht konnte ich bei meiner Bekannten Lore verbringen, einer mondänen Frau um die vierzig, die in der vornehmen Charlottenburger Mommsenstraße in einer großen Wohnung residierte. Ihr Mann war in Kriegsgefangenschaft, bei ihr tummelten sich die Amis, und sie lebte wie Marlene Dietrich in dem Billy-Wilder-Film ›A Foreign Affair‹, war ein »Amiliebchen«, wie man damals abwertend sagte, und feierte ständig Parties. Sie arbeitete als Dolmetscherin und riet mir, mich ebenfalls bei den Amerikanern zu bewerben.

Ein baumlanger Amerikaner namens Requardt, ein etwa sechzigjähriger Jurist, der tatsächlich mindestens zwei Meter groß war und der Finance Division vorstand, schien Verwendung für mich zu haben. Doch gab es ein Problem: Ich durfte eigentlich gar nicht in Berlin sein, da Zuzugssperre herrschte. Wer nach Juni 1945 nach Berlin gekommen war, hatte die Stadt wieder zu verlassen. Beim Arbeitsamt hatte ich noch die Unwahrheit gesagt, doch Mr. Requardt schien so integer, daß ich ihn nicht anlügen wollte. Ich konnte relativ gut Englisch, das ich in den Tagen zuvor mit Hilfe des Wörterbuchs aufpoliert hatte, und ich sagte zu Mr. Requardt: »Ich bin nicht schon seit Juni hier, ich bin erst vor zwei Wochen angekommen; ich habe keine Arbeit, ich habe keine Wohnung, ich habe kein Geld, ich habe nichts. Aber ich kann etwas Englisch, kann tippen und stenographieren und bin bereit, mich weiterzubilden.« Er schaute mich lange an – dann wollte er es mit mir versuchen.

Auf der Suche nach einem Zimmer konzentrierte ich mich auf den Bezirk Zehlendorf, da dort meine neue Arbeitsstelle lag. Ich klingelte an jedem Haus und fragte, ob etwas frei sei. So ging das damals. Bei einer älteren Dame in der Kronprinzenallee, der heutigen Clayallee, wurde ich fündig. Das Zimmer war nicht elektrifiziert, sondern besaß noch Gasbeleuchtung. Allerdings waren die Gasstrümpfe defekt, so daß ich kein Licht hatte.

Weihnachten 1945: Ich wollte nicht allein sein, denn es war kalt bei mir und dunkel noch dazu. Telefon hatte ich nicht, so ging ich gegenüber in eine amerikanische Behörde, stellte mich vor und fragte, ob ich eine Bekannte anrufen könne. Doch erreichte ich sie nicht. Der Amerikaner in der Schreibstube war verwundert über mich, vor allem darüber, daß ich Weihnachten so allein sein würde. Ich zeigte ihm mein Zimmer – man konnte von seiner Schreibstube aus mein Fenster sehen. Kurz nachdem ich wieder zu Hause angekommen war, klopfte es. Da meine Vermieterin schwerhörig war, öffnete ich. Vor mir stand der amerikanische Soldat aus dem Office gegenüber, in der Hand eine große braune Packpapiertüte. Ich bat ihn rein. Er begleitete mich, schaute sich in meinem Zimmer um und sagte: »You live here like a rat!«

Darauf lächelte er breit und übergab mir die Tüte, die vollgestopft war mit Schokolade, Keksen, Kakao, einer ganzen Stange Zigaretten und vielem mehr – damals alles so wertvoll wie Gold. Er gab mir die Hand, wünschte Merry Christmas, verließ die Wohnung und ward nie mehr gesehen.

Er hatte Recht. Ich lebte wie eine Ratte. Doch ich war glücklich. Ich hatte überlebt, ich hatte einen Job, eine Wohnung, ein fremder Mensch machte mir zu Weihnachten eine große Freude und vor allem: Ich war frei! Mein Leben konnte beginnen.

Textnachweise

Ruth Andreas-Friedrich, Schauplatz Berlin, Suhrkamp Verlag, Frankfurt am Mail 1985 (Erstausgabe 1946 bei Henry Holt and Company, New York, unter dem Titel ›Berlin Underground‹; deutsche Erstausgabe 1947 im Suhrkamp Verlag, Frankfurt am Main).
Hannah Arendt, Besuch in Deutschland. Aus dem Englischen von Eike Geisel, Rotbuch Verlag, Berlin 1993, S. 23–29 (zuerst als Beitrag für die Zeitschrift ›Commentary‹ im Jahre 1950).
Margret Boveri, Tage des Überlebens, Piper Verlag, München 1968, S. 97–98; S. 328–329.
Stefan Doernberg, Ein Deutscher auf dem Weg nach Deutschland. Bericht eines Zeitzeugen über das Jahr 1945, Berlin 2000 (= Pankower Vorträge Heft 24, hrsg. von »Helle Panke« zur Förderung von Politik, Bildung und Kultur e.V.), S. 23–26.
Eva Ebner, Originalbeitrag, Deutscher Taschenbuch Verlag, München 2004.
Werner Finck, Alter Narr – was nun? Die Geschichte meiner Zeit, F. A. Herbig Verlagsbuchhandlung GmbH, München 1972, S. 209; S. 216–222.
Christiane Frommann, Berliner Forum: Berlin nach dem Krieg – wie ich es erlebte. Erlebnisberichte älterer Berliner, Berlin 1977 (= Schriftenreihe Berliner Forum 9/77), S. 15–17.
Hildegard Hamm-Brücher, in: Hans Sarkowicz (Hrsg.): »Als der Krieg zu Ende war …« Erinnerungen an den 8. Mai 1945, Insel Verlag, Frankfurt am Main 1995, S. 171–177.
Renate Harpprecht, in: Gustav Trampe (Hrsg.): Die Stunde Null. Erinnerungen an Kriegsende und Neuanfang, Deutsche Verlags-Anstalt, Stuttgart/München 1995, S. 97–101.
Stefan Heym, in: Gustav Trampe (Hrsg.): Die Stunde Null. Erinnerungen an Kriegsende und Neuanfang, Deutsche Verlags-Anstalt, Stuttgart/München 1995, S. 309–318.
Lally Horstmann, Kein Grund für Tränen. Aus dem Englischen von Ursula Voss, Siedler Verlag, Berlin 1995, S. 175–178, S. 183–185 (Erstausgabe 1953 bei George Weidenfeld & Nicolson Limited, London, unter dem Titel ›Nothing for tears‹).

Karl Jaspers, Schicksal und Wille. Autobiographische Schriften, hrsg. von Hans Sauer, Piper Verlag, München 1967, S. 173–181.
Erich Kästner, Notabene 45. Ein Tagebuch, Atrium Verlag, Zürich 1986, und Thomas Kästner, S. 112–120.
Hildegard Knef, Der geschenkte Gaul. Bericht aus einem Leben, Ullstein Verlag, Berlin 2002, S. 139–150 (Erstausgabe Verlag Fritz Molden, Wien/München/ Zürich 1970).
Fritz Kortner, Aller Tage Abend, Alexander Verlag, Berlin 1991, S. 537–540, 550–552, 559–562 (Erstausgabe Kindler Verlag, München 1959).
Hans Koschnick, in: Werner Filmer und Heribert Schwan (Hrsg.): Besiegt, befreit ... Zeitzeugen erinnern sich an das Kriegsende 1945, Piper Verlag, München 1995, S. 156–160.
Jürgen Kuczynski, in: Günther und Barbara Albrecht (Hrsg.): Erlebte Geschichte. Von Zeitgenossen gesehen und geschildert, Band 2: Vom Untergang der Weimarer Republik bis zur Befreiung vom Faschismus, Verlag der Nation, Berlin (Ost) 1972, S. 386–389.
Charlotte von Mahlsdorf, Ich bin meine eigene Frau. Ein Leben. Hrsg. von Peter Süß, Edition diá, St. Gallen/Berlin/São Paulo 1992, S. 65–77.
Günther van Norden, Originalbeitrag, Deutscher Taschenbuch Verlag, München 2004.
Hans Sahl, Memoiren eines Moralisten und Das Exil im Exil, Luchterhand Literaturverlag, München 1994, S. 327–329 (deutsche Erstausgabe 1990); Wir sind die Letzten. Der Maulwurf. Gedichte, Luchterhand Literaturverlag, München 1991, S. 7 (Die Sammlung ›Wir sind die Letzten‹ erschien zuerst 1976 als Veröffentlichung der Deutschen Akademie für Sprache und Dichtung, Darmstadt).
Max Steenbeck, in: Günther und Barbara Albrecht (Hrsg.): Erlebte Geschichte. Von Zeitgenossen gesehen und geschildert, Band 2: Vom Untergang der Weimarer Republik bis zur Befreiung vom Faschismus, Verlag der Nation, Berlin (Ost) 1972, S. 430–433.
Elisabeth Taubert, Berliner Forum: Berlin nach dem Krieg – wie ich es erlebte. Erlebnisberichte älterer Berliner, Berlin 1977 (= Schriftenreihe Berliner Forum 9/77), S. 18–20.